妙三國
歷史，玩的不是心計
（原名：凡夫俗子看三國）
二憨 著

# 關於《三國演義》

《三國演義》原名《三國志通俗演義》，也稱《三國志演義》，是中國古代長篇章回小說的開山之作，也是中國最有代表性的長篇歷史演義小說。

小說描寫了西元三世紀以曹操、劉備、孫權為首的魏、蜀、吳三個政治、軍事集團之間的矛盾和鬥爭。全書主要分為黃巾變亂、董卓亂政、群雄逐鹿、三國鼎立、三分歸晉五大部分。在廣闊的歷史背景下，上演了一幕幕波瀾起伏、氣勢磅　的戰爭場面，成功刻畫了一千多個人物形象，其中以曹操、劉備、諸葛亮、周瑜、關羽、張飛等人物形象最為鮮明和膾炙人口。

三國故事在宋元時代就被搬上了舞臺。金、元演出的三國戲碼達三十多種，元代時出現了新安虞氏所刊的《全相三國志平話》。元末明初的小說家羅貫中綜合民間傳說和戲曲、話本，並結合陳壽所寫的《三國志》和裴松之注的史料，創作了《三國志通俗演義》。現存最早刊本是明嘉靖年所刊刻的，俗稱「嘉靖本」。清康熙年間，毛綸、毛宗崗父子辨正史事、增刪文字、增加評點，修改成今日通行的一百二十回本

《三國演義》。

作者羅貫中，名本，字貫中，號湖海散人，元末明初著名小說家、戲曲家，中國章回小說的鼻祖。他一生著作頗豐，主要作品有：劇本《趙太祖龍虎風雲會》、《忠正孝子連環諫》、《三平章死哭蜚虎子》；小說《隋唐兩朝志傳》、《殘唐五代史演義》、《三遂平妖傳》、《粉妝樓》、《隋唐志傳》、以及代表作《三國演義》等。

羅貫中的《三國演義》，把中國歷史演義小說推到了最高峰，對後世有著深遠的影響。西元一六八九年，日本人湖南文山把《三國演義》譯成了日文，這是《三國演義》最早的外文譯本。如今，《三國演義》已經被亞、歐、美諸國譯成各種文字，全譯本、節譯本共達六十多種。各國學者都把《三國演義》看作中國文學史上燦爛的明珠，給予高度的評價。泰國文學學會於一九一四年把《三國演義》的泰文譯本評為優秀小說，泰國教育部還曾明令把它作為國中作文範本。

《大英百科全書》稱《三國演義》的作者羅貫中是「第一位知名的藝術大師」，並認為《三國演義》是十四世紀出現的一部「廣泛批評社會的小說」。日本著名漢學家吉川英治認為，《三國演義》是「世界古典小說中無與倫比」的作品。

由此可見，《三國演義》不朽的藝術價值。

# 「炒」出另一番滋味

羅貫中寫《三國演義》，給很多歷史人物都貼上了「標籤」，比如，劉備仁義寬厚，諸葛亮智慧超群，曹操是一代奸雄，阿斗昏庸無能等等。那麼，這些歷史人物是否真的如他所寫的一樣呢？答案有很多種。因為每個人的心中都有一個自己的三國，就像個人的口味一樣，你可以把三國看成是美味佳餚，也可以把三國看成是農家小炒。

本書作者二憨就是一個技藝超群的「大廚」，他用三國故事做底料，佐以幽默、智慧、另類來調味，放在文學的大鍋裡爆炒，一道名為《炒三國——歷史，玩的不是心計》的「招牌菜」便問世了。提到三國，我們首先就會想到權謀和心計，可是二憨偏偏就不寫權謀和心計，而是寫文化和人性。他認為，三國不僅是政權的爭奪，也是各種文化的大較量。其中，曹操代表正統、孫權信奉智勇、劉備講究忠義，三大文化根基激烈碰撞，在武力的角逐下，逐漸分野，最後形成了三分天下的格局。在此一論調下，他用平民化的語言表現出了不同歷史人物的喜怒哀樂和各自複雜的心理變化以及性格特點。這樣一來，就拉近了歷史人物與我們普通百姓之間

的距離，使我們不僅對歷史人物和歷史事件有了新的體會、新的認識，還懂了很多道理。在寫到阿斗樂不思蜀時，二憨認為樂不思蜀正是阿斗的大智慧。作為階下囚的亡國之君，稍有不慎便是滅頂之災，想要保全性命，就必須給人一個「此人不足為慮，我無憂矣」的印象。於是阿斗只好「此間樂，不思蜀」，讓司馬昭對他失去戒備的心理。由此得出結論，阿斗不愧為天才演員，其精湛的演技不僅騙過了奸詐的司馬昭，還騙了後世的人們。諸如此類新穎的解讀，在文中時有出現。

二憨的「炒」三國，做的色香味俱全，別有一番滋味，即使胃口再挑剔的讀者朋友，也不會錯過這道「美味」！

# 謀略較量的戰場

姜雲濤

如今拿古典名著尋開心是一件很時尚的事情，在內地，自從《水煮三國》被炒起來之後，《麻辣三國》、《最三國》、《品三國》之類的作品隨後一擁而上，大有把《三國》用八大菜系的手法各炒一遍的架勢。

這種現象的出現，除了商業因素之外，還有一個重要的原因就是每個人的解讀視角是不同的，所以對《三國》的理解也必將不同。從這個角度上說，誰都可以把《三國》拿過來「炒」一「炒」。但這裡面有個前提，無論水煮麻辣還是清蒸爆炒，總要做得色香味俱全才行，否則吃客們可就倒了胃口。

我的朋友二憨就是這樣一個技藝超群的「大廚」，他以《三國》為原料，結合自己的理解和感悟，「加油添醋」下鍋一「炒」，一道名為《炒三國》的「招牌菜」便問世了。

這本著作相比同類書籍而言，有三點可讀之處：

一則是作者平時讀書的積累，下過一番苦工夫，並非是為了跟風炒作。二憨這個人，是典型的書蟲，從小就嗜書如命。想當初在抓周時，他就抓得一本《論語》，自此終日與書為伴，死性不改到如今。正是他平時的閱讀積累和寫作訓練，才有了今天厚積薄發。

二則是全書的分析基本從中國古代歷史著筆，並非是生搬硬套現代人的觀點和理論。很久以來，我始終有個疑問：三國，到底是劉備、曹操帶給我們的，還是羅貫中老先生帶給我們的？在中國歷史上，像三國鼎立這樣亂世有很多，但為什麼只有《三國》給我們留下了如此深刻的印象，成為了我們茶餘飯後永恆的談論主題呢？在讀了二憨的這本書之後，我終於解開了這個謎團，因為我們每個人的心中都有一個關於欲望、勇氣、謀略相互較量的戰場，只不過是將《三國》當做了一個載體而已。即使在現代社會也處處有《三國》的影子：你的老闆可能會玩空城計，你也可能會像蔣幹那樣鑽進老同學的圈套裡……

三則是作者有自己的獨到見解。二憨認為，三國時代開始了各種力量的大洗牌，這不僅是政權的爭奪，更是各種文化的大較量。仁孝、忠義、誠信，三大文化根基開始了激烈的碰撞，並在武力的掩護下，逐漸分野，最後慢慢顯示出各自的脈絡，形成了三分天下的格局。在這一論調下，他下筆千言，將三國時期的風雲變幻盡述於筆端，在對三國人物進行現代解讀的同時，更是體察到了人生的渺小和人性裡潛藏的善惡。

二憨的文字，讀起來總是能讓人眼前一亮。其實，他說的道理並不是如何了不得的，但是我們心有所感而說不出的，他竟說了出來。他就像一個天真而淘氣的孩子，突然在樹枝上發現了一隻漂亮的蜻蜓，逮上了手，既不願意和同伴分享，又極想向他們炫耀，故此使出了無窮手段。

讀過此書，相信你也會有這樣的感覺。

最後，我很高興二憨雖然在大陸奮鬥近二十年卻因一場金融風暴而變得一無所有，不得不屈身小地方，但他卻沒被環境擊倒，反倒完成了「解讀中國四大名著」，不知道二憨還會帶給我們怎樣的驚奇？

# 以三國來映照世事

湯堯

初次結識二憨，是在他的麵食店裡。當我端著一碗擔仔麵正吃得不亦說乎之際，一個操著東北口音的眼鏡男來到我的桌前。他指著我放在桌上的《三國演義》說：「現在讀古典名著的人可是越來越少了，看得出，你也是個書迷。」

就這樣，一本書拉近了兩個陌生人之間的距離。更神奇的是，因為彼此性情相投，我們成了最好的朋友。

二憨這個最像東北人的臺灣老男孩，愛讀書，愛寫書，但不是書呆子。他有幾分世事洞明，又有幾分書生意氣。更難得的是，他深諳讀萬卷書行萬里路的道理，在旅居內地其間，其足跡行遍北中國。他當過老闆，辦過工廠，如果不是遭遇金融風暴，二憨早就成了身價千萬的富商了。

破產之後的二憨，一度舉債度日，並且在求職的道路上屢次碰壁。這些困難，對於一個不向命運低頭的男人來說根本算不得什麼，既然在別人那裡求不到飯碗，那就自己給自己一個飯碗好了。這也是他這家麵食店由來。

在他當壚賣酒之餘，他依舊不忘指點江山，激揚文字。他不止一次地對我說，總有一天要出版一本自己寫的書。

時間一晃就過了兩年。

一天，二憨來到我的家中，將一本散發著墨香的新書《辣水滸》放在了我的手中，一臉自豪地

說：「我這輩子最瘋狂最過癮的事就是寫了這本書！接下來還有後續上演……」說完，他給了我一片光盤，裡面是《炒三國》的文字初稿。

朋友的大作理應先睹為快，我回家之後迫不及待地打開電腦追尋著書中的智慧和感悟，發現那種閱讀的快感簡直是無與倫比的。

這類的書市面上也有，大多是以小說為鏡照，來解讀世事之沉浮。上品者能看清歷史和人世的真正面目，總結其中的定律，有助於以史為鑒；下品者可以從書中淘弄出幾條生存技巧，大有人情練達即文章的意思。而二憨的書放在這裡面，顯得有些另類：像是一份參照著人生閱歷和社會經驗寫出來的讀書筆記，與其說是以世事解讀三國，不如說是以三國來映照世事。

我讀這本書覺得好，是因為他寫這樣一個充滿陰謀陽謀的世界，不但寫得條理清楚，還寫得心氣清平。

# 序言

《三國演義》中隱藏了太多的秘密。它不僅是三個割據政權的紛爭，也是構成皇權三股力量的角逐：仁德、智勇、忠義的分離，最終導致天下三分。曹操行仁德之政，把中原迅速納入自己的帳下；孫權信奉智勇，將江東牢牢地掌控在自己的手心；劉備講究忠義，奪得了西蜀做為自己的基地；諸葛亮智謀過人，導演了六出祁山的個人秀；司馬懿沉穩老練，最終笑到了最後，使天下歸一。

每個人的心中都有一個三國，一個關於慾望、勇氣、謀略與耐力相互較量的戰場。羅貫中洋洋灑灑，下筆千言，把近百年的天下紛爭，風雲變幻，盡述於筆端，不但精彩好看，而且非常好玩。當然，他是以非常嚴肅的態度和非常嚴謹的筆法來寫三國歷史的。我們之所以能夠從中看出好玩的東西，在於他在無意之中，為我們上演了一幕幕黑色幽默的大戲。當我們一次次重拾經典，對三國英雄人物的慾望與內在精神進行現代解

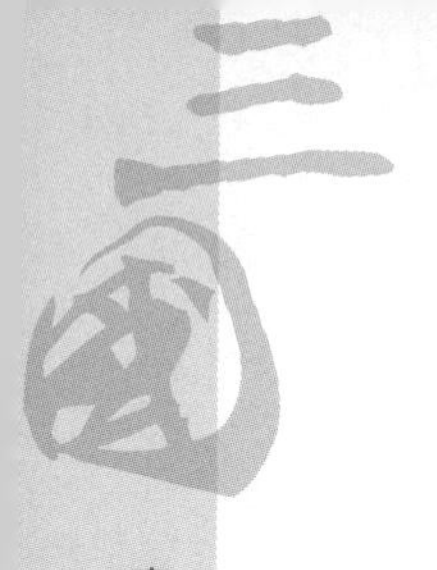



讀時，都可以在這些英雄漸行漸遠的身影裡，看到人生的渺小和人性裡潛藏的善惡。無論仁者、義者、勇者，還是智者，誰也無法超越生命的自然法則，而成為永恆的神話。

我們就是生活在三國的人際關係海洋裡，白臉的曹操、紅臉的關公、偽善的劉備、魯莽的張飛、小氣的周瑜、機智的諸葛，都是生活在我們身邊的各色人等。我們時時刻刻與這樣或那樣的人物打交道，只不過不再是真刀真槍、你死我活的拼殺，而是一場溫文爾雅的私下較勁。三國的智謀也是生活的藝術：蔣幹鑽進了老同學周瑜設下的圈套，生活中同樣有人被誘騙了；諸葛亮唱出了空城計，你的老闆也玩了這個把戲；司馬懿被人嘲笑像個女人，你身邊的同事也有可能被稱為偽娘；古有木牛流馬運軍糧，今天你也可以變出新奇的小發明。至於貂蟬的連環計，周瑜賠了夫人又折兵，幾乎成了我們茶餘飯後不變的話題。

三國還是一樣的三國，奧秘已經是全新的奧秘。錯過了本書，你就會錯過一次尋寶的經歷，錯過一次提高人生修養、洗滌人性污垢的絕佳機會。

# 目錄

# 目錄

是金闕也能燒化

# 第一章

# 三國鬥法之借刀殺董卓

——星光璀璨還是百夫爭漢

# 董卓篡政：是金闕也能燒化

東漢末年的那些事，想必讀者都很清楚。每個人治世襲的朝代，都會經歷由盛而衰，最終走向滅亡的過程。完全不會像王朝的開創者想像的那樣，江山永固，萬古長青，源遠流長。常言說得好，皇帝輪流做，今年到我家。為什麼皇權不能永遠世襲下去呢？我覺得問題就出在人治和世襲上，人治的害處我們都知道，這個問題早就讓學者們分析得體無完膚，沒有一點遮遮掩掩的地方了，下面我就重點聊一聊世襲的害處。

富貴人家的孩子難養，皇帝家的孩子更難養了，十畝地一棵苗，越長越金貴，想養大，還真不是那麼容易的事。有人可能說了，皇帝妻妾成群，有成百上千的女人，敞開肚皮生就是了。再說，皇帝家那麼富有，不愁吃不愁喝，養幾十個、上百個孩子，還不是輕而易舉的事情嗎？所以，皇帝家應該人丁興旺，子孫遍地才對。其實，還真不是那麼回事。皇帝家的孩子難養活，自古如此，為什麼呢？讀者可以想一想，一個平民百姓家的孩子，要想養大，添雙筷子添個碗就可以了，粗茶淡飯，破衣爛衫，花不了幾個銀子。而一個帝王家的孩子，一生的開支可就了不得，幾乎是舉國之

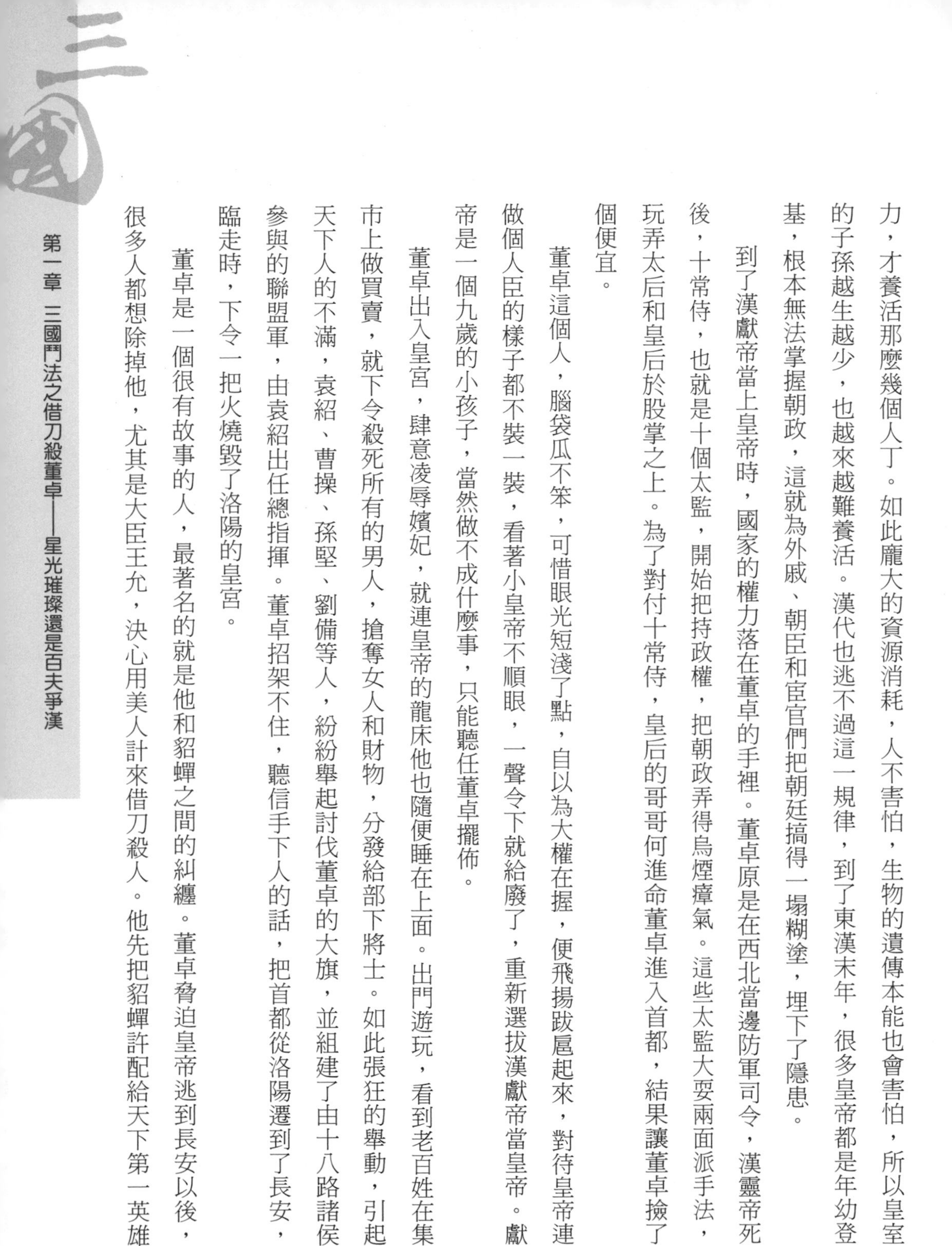

力，才養活那麼幾個人丁。如此龐大的資源消耗，人不害怕，生物的遺傳本能也會害怕，所以皇室的子孫越生越少，也越來越難養活。漢代也逃不過這一規律，到了東漢末年，很多皇帝都是年幼登基，根本無法掌握朝政，這就為外戚、朝臣和宦官們把朝廷搞得一塌糊塗，埋下了隱患。

到了漢獻帝當上皇帝時，國家的權力落在董卓的手裡。董卓原是在西北當邊防軍司令，漢靈帝死後，十常侍，也就是十個太監，開始把持政權，把朝政弄得烏煙瘴氣。這些太監大耍兩面派手法，玩弄太后和皇后於股掌之上。為了對付十常侍，皇后的哥哥何進命董卓進入首都，結果讓董卓撿了個便宜。

董卓這個人，腦袋瓜不笨，可惜眼光短淺了點，自以為大權在握，便飛揚跋扈起來，對待皇帝連做個人臣的樣子都不裝一裝，看著小皇帝不順眼，一聲令下就給廢了，重新選拔漢獻帝當皇帝。獻帝是一個九歲的小孩子，當然做不成什麼事，只能聽任董卓擺佈。

董卓出入皇宮，肆意凌辱嬪妃，就連皇帝的龍床他也隨便睡在上面。出門遊玩，看到老百姓在集市上做買賣，就下令殺死所有的男人，搶奪女人和財物，分發給部下將士。如此張狂的舉動，引起天下人的不滿，袁紹、曹操、孫堅、劉備等人，紛紛舉起討伐董卓的大旗，並組建了由十八路諸侯參與的聯盟軍，由袁紹出任總指揮。董卓招架不住，聽信手下人的話，把首都從洛陽遷到了長安，臨走時，下令一把火燒毀了洛陽的皇宮。

董卓是一個很有故事的人，最著名的就是他和貂蟬之間的糾纏。董卓脅迫皇帝逃到長安以後，很多人都想除掉他，尤其是大臣王允，決心用美人計來借刀殺人。他先把貂蟬許配給天下第一英雄呂布，接著又將她獻給天下第一高官董卓。呂布是董卓的乾兒子，老子搶兒子的女人，當然說不過去，於是父子兩人就打了起來。結局不用說，呂布輕輕鬆鬆就把董卓送上了西天，一個不可一世的梟雄，就這樣栽在女人的手裡，再一次詮釋了「英雄難過美人關」這一千古定律。

羅貫中演繹的三國風雲，當然不是為了簡單的圖個熱鬧。由十常侍引出何進，由何進引出董卓，由董卓引出十八路豪強，而這一切表演，都是打著「忠」的旗號，忠君報國成為了所有人粉墨登場的最好理由。很有意思的是，在一個「忠」字的陰影下，眾多「忠臣」很快把國家瓜分完畢，漢獻帝真正成了孤家寡人。

董卓燒了皇宮，這個舉動非常大膽。由他來完成這個具有象徵意義的艱巨工作，羅貫中大概也是掂量了很久。燒毀皇宮，秦朝末年發生了一次，就是楚霸王項羽燒毀阿房宮那次，第二次就是董卓。燒毀皇宮絕非小事，那是對一個政權的否定，能有此膽量的人，必定是狂妄至極的人。也許是漢代統治時間太久了，各種力量經過長久的壓抑，終於來了一次徹底的爆發。這一把火，不僅點燃了天下紛爭的戰火，也開始了各種力量的大洗牌，正式拉開了天下合久必分的序幕。

這不僅是政權的爭奪，更是各種文化的較量，仁孝、忠義、誠信，三大文化根基，開始了激烈的碰撞。並在武力的掩護下，逐漸分野，最後慢慢顯示出各自的脈絡，形成了三分天下的格局。

董卓此舉的意義，不僅顯示了武力的殘酷和野蠻，更是預示著文化的危機和重生。

# 袁紹討賊：我正義我怕誰

提起袁紹，一般人都會以為他是典型的無能者＋野心家。「演義」中描寫他：「色厲膽薄，好謀無斷；做大事而惜身，見小利而忘命。」在漢末宦官勢力與外戚勢力惡鬥之際，他出了一個餿主意：讓西北狼董卓領軍進京，這直接導致漢末朝綱的崩塌。在與董卓鬧僵以後，袁紹高舉討伐逆賊董卓的大旗，將曹操、孫堅、孔融等十八路諸侯的兵馬召集在自己的麾下。

討伐董卓的檄文是曹操最先發出，他自知威望不夠，就拉袁紹入夥，並推舉袁紹為盟主。袁紹是一個富家子弟，其名為「四世三公，名滿天下」，其勢為「門生遍朝廷、世交佈海內」，其地為「天下九郡擁其四」。起初，他的來頭很大，氣勢非凡，很快地成為十八路諸侯的盟主。可是在討伐董卓這樣投資規模巨大的行動上，袁紹除了一個「盟主」的虛名外一無所獲，而曹操則累積了軍事統帥的經驗，孫堅獲取了傳國玉璽，連原本一無所有的劉備三兄弟也博得了「三英戰呂布」的威名。董卓被滅後，聯軍也就失去了討伐的目標，頓時有點不知所措。

袁紹本以為機會來了，自己可以順理成章地成為朝廷幫掌門人，沒想到十八路追隨自己的諸侯，各懷鬼胎，一看董卓被打死了，紛紛自立門戶，來搶勝利果實。其中最有野心的就是曹操，他直接把皇帝搶回去，與袁紹公開作對。

亂世出英雄，但是富家子弟在亂世，卻很少有傑出人物出現，反而是那些落魄的人，能夠乘勢而起，成就一番事業。賣草鞋出身的劉備，就是一個活生生的例子。

三國裡為草莽英雄修臺階、做鋪墊的人很多，袁紹就是最大的一塊墊腳石，他不僅成全了曹操，也成全了劉備和孫堅，讓這三個人藉著自己的名氣成了氣候。最令他後悔的事情，莫過於自己怕麻煩，不願意早請示晚彙報，攻下洛陽後沒有把皇帝搶來做自己的傀儡，反而把便宜讓曹操佔去，自己卻受制於人。

當時，漢獻帝為擺脫西涼軍餘孽李汜的虐待與追殺倉皇出逃，最受期待且離得最近的袁紹竟不識落難天子的價值，棄之如敝履，結果讓遠在千里之外的曹操撿了個便宜，取得了「挾天子以令諸侯」的政治優勢。後來在與曹操的決戰中，雖然袁紹人多勢眾，但失去了皇帝這個法寶，結果一敗塗地，落得鬱悶而死。

很多人把袁紹的失敗，歸結為他的性格，要我看，這樣的歸納有些過於簡單。袁紹的性格，有不足以成大事的一面，但不是最主要的原因。袁紹雖以正義的名號起兵討伐董卓，卻沒有打好正義這張牌。袁紹沒有把自己的根據地設在中原腹地，反而放在了更北的冀州，使自己偏離了政權的中心。問鼎中原才能得天下，跑到一個偏僻的角落躲了起來，勢力再大又能怎樣？地盤選錯了，又沒有搶到皇帝，最後淪為了正義的「偏房」，失去了最有號召力的一杆大旗。

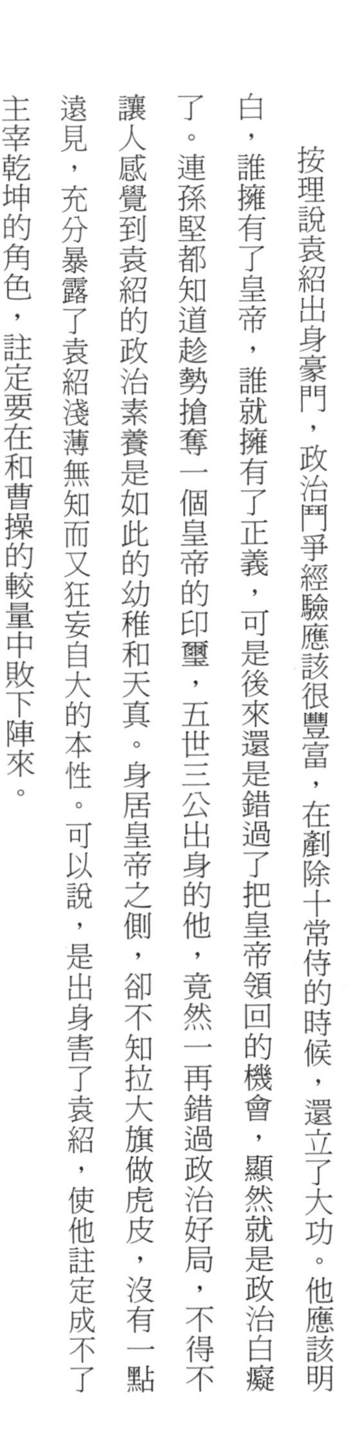

按理說袁紹出身豪門，政治鬥爭經驗應該很豐富，在剷除十常侍的時候，還立了大功。他應該明白，誰擁有了皇帝，誰就擁有了正義，可是後來還是錯過了把皇帝領回的機會，顯然就是政治白癡了。連孫堅都知道趁勢搶奪一個皇帝的印璽，五世三公出身的他，竟然一再錯過政治好局，不得不讓人感覺到袁紹的政治素養是如此的幼稚和天真。身居皇帝之側，卻不知拉大旗做虎皮，沒有一點遠見，充分暴露了袁紹淺薄無知而又狂妄自大的本性。可以說，是出身害了袁紹，使他註定成不了主宰乾坤的角色，註定要在和曹操的較量中敗下陣來。

單從人名學來看，曹操就比他更佔先。操，操行；孟德，品德排第一，就是自誇品德好。而袁紹就不行了，這個名字聽起來沒有一點英雄氣概。紹，繼承的意思，除了繼承袁家的榮華富貴，也沒什麼大出息；本初，本來初始，說白了就是個鋪墊，為他人做嫁衣裳。

失去了皇帝，就是失去了仁德，袁紹自然就淪為了叛逆。他沒有認清亂世中成就大業最需要什麼，忽略了曹操挾天子以令諸侯的威力，最後因為自己不是正義之師，而潰不成軍。即便是在臨死時，他也沒有按照傳統的仁德要求，將自己的權力傳給長子，而是傳給了三兒子，埋下了二袁之爭的禍根，袁氏家族最終被曹操蕩平。

袁紹是自己滅了自己，不過是借助了曹操的手。

# 孟德掠主：皇帝真的在我家

曹操在《三國演義》裡是一個大白臉形象，也就是奸雄的意思。大家都承認他是個大英雄，又都罵他是奸臣。這樣一來，這個人就顯得耐人尋味了。

俗話說，「龍生龍，鳳生鳳，老鼠的兒子會打洞」，直到今日，持血統論和出身論的人也大有人在。蘑菇長到金鑾殿上，不是靈芝卻勝似靈芝。在這些人眼中，皇帝的兒子當皇帝，貴族的兒子做貴族，奴隸的兒子，也就永遠是奴隸了。古往今來，凡是皇帝和貴族以及他們的兒子，都喜愛唱這老調，說穿了，就是在維護自己的既得利益。最典型的就是劉備，原本是個織席編屨的手工業者，卻總抱著「帝室之冑」這塊招牌不放，四處顯示他形跡可疑的皇族血統，又可笑，又可憐。曹操則不然，他並不期求這種高貴身分。

曹操的出身也算是高官家庭，其爹是個當官的，但不利的是，他爺爺是一個太監。曹操的親爹本姓夏侯，過繼給了姓曹的太監，所以曹操才得以姓曹。太監的名聲不好，但曹操不在乎，最讓人佩服的是，他在《讓縣自明本志令》（又名《述志令》）所闡述的「政治綱領」，明確表達了自己

「不得慕虛名而處實禍」的觀點。

他在其中寫到，有人說我曹操應該功成身退，把職務和權力交出來，到自己的封侯國去安度晚年。對不起，不行！職務我是不辭的，權力我是不交的。為什麼呢？「誠恐己離兵為人所禍也」。誰都知道，我現在手握兵權，才有了這一呼百應的權威。一旦交出去，那我的妻兒就不能保全，皇上也不得安全。「既為子孫計，又己敗則國家傾危」，所以我絕不交權。

很多人認為，曹操能異軍突起，天下三分有其一，是佔盡了天時。這樣說也沒錯，但過於籠統和簡單了。曹操是一個有政治智慧的人，一直在權力的中心活動。他知道自己想要什麼，也知道怎樣才能得到自己想要的東西。當刺殺董卓不成，他立即逃跑，拉起自己的隊伍，豎起正義的大旗，率先發出討伐董卓的檄文，為自己博取良好的政治名聲和政治形象。他知道只憑自己力量，不可能成大器，於是就找到袁紹，藉助他的名氣和地位，召集天下英雄，並且借天下人的手，滅了董卓。這是借勢，名正言順，又借得袁紹的名頭，所以天下英雄一呼百應，對董卓群起而攻之，不僅滅了董卓，曹操也趁機發展，壯大自己的勢力，扶搖直上，很快成為北方乃至全中國舉足輕重的一個政治軍事力量。

是大英雄，自有過人的膽識。十八路諸侯滅了董卓後，孫堅找到皇帝的印璽而逃之夭夭，袁紹不屑於侍候皇帝，退回了自己的根據地。袁紹不迎獻帝，把嘴邊的肥肉讓於他人，當時羽翼未豐的曹操帶有幾分僥倖地得到了這張王牌，把這個有名無實的皇帝像供菩薩一樣供了起來。

他知道菩薩雖然不說話，但用處非常大，皇帝在曹操手裡雖然也沒有說話的份，但皇帝的招牌是無人能比的。中國人講究忠義，所謂忠義，首先是對皇帝的效忠，董卓因為廢舊立新、虐待皇帝，招致天下人的反對，最後眾叛親離，被自己的乾兒子除去。曹操沒有那麼傻，他搶到皇帝後，好吃好喝好招待，除了不給皇帝自己當家作主的權力，還是給足了皇帝的面子。無論自己做出什麼決定，都會經過皇帝的嘴說出，讓自己說出的話份量十足，即便是不可一世的袁紹，想獲得一個官職頭銜，也不得不接受自己的加封。天下人心，正義的天平，已經開始向曹操這邊傾斜了。

把皇帝請到家，曹操搖身一變，變成了仁德忠君之臣，劉備等所謂英雄豪傑們，只能聽命於曹操的調遣。握好了忠君這一張王牌，曹操就贏得了政治上的主動，在與眾豪傑的爭鬥中，贏得了先機。

我說曹操是仁德立國，可能有很多人會搖頭反對，其實仔細想一想曹操的成功之路，他恰恰走的是平民路線。他利用士大夫精英階層，但一生又與這些人不停的鬥爭。對於皇帝、貴族、豪強和士族的代表人物，他總是不遺餘力地予以打擊。在《誅袁譚令》裡聲言：「敢哭之者，戮及妻子。」將袁紹、袁術這個名門望族，一點也不留情地斬盡殺絕。

在《宣示孔融罪狀令》裡說：「融違天反道，敗倫亂理，雖肆市朝，猶恨其晚。」從輿論上把這個知識分子弄得全是臭名聲。在《賜死崔琰令》裡說，「琰雖見刑，而通賓客，門若市人。」殺一儆百，也等於對整個士族集團提出警告。不僅如此，曹操始終堅持不稱帝，不做名義上的老大，不把自己放在火上烤。重要的原因就是他很清楚，一旦自己稱帝，就把自己從仁德忠君之臣的位置上拉了下來，成為人人都可以唾罵的忤逆之賊，就會失去士大夫精英階層對自己的妥協和支持，更會

失去民心。

在羅貫中的筆下，曹操被描畫成了大奸大雄式的人物，一方面曹操是靠仁德立足，做足了仁德的表面文章；另一方面又常常做出不仁德的事情，把皇帝當成傀儡，任意驅使，酒醉殺害忠良之士，霸佔降臣的妻子小妾等等。這些事表面上完全暴露了曹操在仁德上的虛偽、狡詐和殘忍，而實際上，是他對各種因素綜合考慮的結果。曹操這樣做，是為了震懾懷有二心的諸侯，同時也讓那些士大夫們心生畏懼，不再恃才傲物，不敢輕易犯上作亂。最重要的是，滿足平民百姓妒恨權貴的心理，贏得平民百姓的支持，以此來達到權貴階層與平民百姓之間一種微妙的情緒平衡。

「說曹操，曹操就到。」為什麼會有這樣一句民間俗語到處流傳呢？因為曹操這個人深諳仁德的奧秘，在皇帝最危難的時刻，總是即時現身，解救皇帝於水火之中。這樣的人，不是仁德之人，忠君之士，還會是什麼呢？仁德成就曹操，仁德也是三分天下中最大的文化力量，在與蜀吳忠孝智勇的較量中，一直佔據了上風，並最終一舉勝出。

# 孫堅匿璽：將玉璽攥在手中

江東孫氏集團，一直比較低調，但也有自己的看家本領，他們能在天下三分的時候，佔得一席之地，靠的就是韌性。孫氏集團主要是繼承了祖業，他們家在江東有很深厚的基礎，孫堅一直在長沙當官，江南是他的創業基地、大本營。江南本來就是富庶之地，經濟基礎雄厚，但富庶了也不完全是好事，這個地方的人不喜歡冒險，殺伐征戰這樣的事，都不大樂意做。所以，凡是以江浙為基地建立的政權，都缺乏向外擴張的精神，大多很保守，能守住自己的地盤不被攻佔，就算是大功告成了。應了一句古話，小富即安，很少有能成大氣候的。

因為富庶，江南少武士卻多儒生，部隊的戰鬥力不算很強，但每次都能在戰爭中留下一條後路，不至於被徹底打垮，原因就在於江東人的智謀和韌性。膽小的人往往多智謀，故而江東多智勇誠信之士。

孫堅在討伐董卓的戰爭中，立了頭功，也得到了獎賞。在董卓挾持皇帝倉惶逃離洛陽時，皇帝的玉璽卻被人藏匿起來，最後被孫堅得到。這一意外的收穫，讓孫堅喜出望外，自以為有了皇帝的王印，就可以名正言順地當皇帝了，所以，他把傳國玉璽看得比命還重要。

當袁紹知道他私藏皇帝玉璽後，他賭咒發誓自己沒有見到，並說如果藏了，不得好死，死在亂箭之下，果不其然，最後真的應驗了。為了爭奪傳國玉璽，孫堅差一點和袁紹火拼，被人勸解之後，他連夜率領人馬趕回江東。可惜路上遭到劉表的攔截，劉表當然也是衝著皇帝的王印來的，但他不是孫堅的對手，只好龜縮襄陽城裡，死守不出。孫堅圍住襄陽城，久攻不下，反而中了劉表手下人的計謀，落入包圍圈，被亂箭射死。為了一個皇帝的王印，賠上了自己的性命，可見誠信多麼重要，連一個賭咒，都能夠應驗。

智勇誠信，是孫氏集團立足江東的資本。響應袁紹號召，率兵討伐董卓，孫堅言而有信，一馬當先，兩次給予董卓重大打擊，迫使董卓狼狽逃往西安。而且在遭到袁術的暗算後，也沒有過多計較，以大局為重，是一個講信譽的血性漢子。

皇帝玉璽，就是信物，是權力的象徵，也是信用的象徵。皇權落在了曹操的手裡，而皇帝的王印落在了孫堅的手裡，絕非偶然，這是羅貫中的巧妙安排，為未來孫氏集團稱霸江東，做好了鋪墊。也可以說，正是孫堅藏起皇帝的王印，才有後來吳國的一切。為什麼這樣說呢？因為孫堅的兒子孫策有了皇帝的王印，袁術才收留他，給了他一席之地。

孫策要比他親爹孫堅更有遠大志向和政治智慧，他得到了皇帝的玉璽，並沒太把它當回事。他認為，大丈夫要想成就一番事業，就要有自己的地盤和自己的兵馬，沒有實力，要一個皇帝的玉璽有什麼用？有了實力打下天下，還愁玉璽不落自己手中嗎？！於是孫策抓住了人們都想得到皇帝玉璽的心理，經過了痛苦的抉擇，冒著被天下人大罵不忠不孝的風險，和袁術做了一筆讓外人看了都覺得傻乎乎的買賣，用皇帝的玉璽換了袁術的兩千精兵。

袁術得到了玉璽，以為佔了便宜，心想玉璽到了自己的手裡，再想贖回去，連門也沒有，兩千精兵，招募還不容易嗎？豈不知，孫策醉翁之意不在酒，他口頭上說用皇帝玉璽為抵押，借兩千精兵回江東去接家眷，其實目的就是打下一塊地盤，找一個立足之地。如此遠大的戰略目光，當然不是袁術那樣鼠目寸光的人所能想明白的。果不其然，孫策得了兩千精兵，一去不回頭，殺回了他的老家江東，找到了自己的好友周瑜，招兵買馬，攻城掠地，很快就把江東納入自己的版圖。

在這件買賣上，孫策展現的是江東人的智勇，卻拋棄了誠信，沒有兌現與袁術的約定，實在有點諷刺意味。成大事者不拘小節，孫策雖然沒有守信，但在外人看來，恰恰是袁術沒有遵守諾言。袁術有了玉璽，很快自己就當了皇帝，這讓不明真相的人產生了錯覺，以為是袁術貪污了孫策抵押的傳國玉璽。其實，在孫策眼裡，皇帝的玉璽有名無實，壓根就沒有要回的打算。他一舉兩得，既得到了精兵，又沒有失信於民，真是一步妙棋。

羅貫中安排這一情節的目的也很明確，表面看是孫堅意外獲得了皇帝的玉璽，他兒子孫策用皇帝的玉璽換來了兩千精兵，實際上卻暗含著深刻的寓意。那就是孫氏一脈，用智勇和誠信，換來了吳國未來的江山，為吳國能在三分天下中得其一，奠定了文化基礎。

孫堅，用自己的生命換回了皇帝的玉璽，看似不值，但從長遠的結果來看，其實就是把帝王擁有的智勇誠信搶了回來。有了智勇誠信，才換來東吳的一線生機，才有了與曹操和劉備抗衡的資本。

# 劉表割據：劃出一塊自留地

劉表出身顯赫，是皇族一脈，年輕時與七個青年才俊交往甚密，號稱「八俊」。他又分別屬「八友」、「八交」之一，稱號很多，很明顯，劉表當時的名聲很大，也可以證明其才華出眾。此人以學識成名，後來在很偶然的機緣下居然成為荊州的首領，可見運氣來了擋也擋不住。

說起劉表，他在整個三國的歷史裡就像一個看守著主人財寶等待小主人浪子回頭的老傭，最大的夢想是能把自己這一畝三分地治理好，春秋獵宴，冬夏觀書。不幸的是，最終還是為他人做嫁衣，成了本家劉備的跳板。劉備這個人在《三國演義》中一露面，就是一副憂國憂民、悲天憫人的仁義形象，不時還要落幾滴眼淚，再加上屢戰屢敗，不免讓人有些同情。

陳壽在《三國志》卷三十二，說劉備「喜狗馬，音樂，美衣服」，但到了羅貫中的筆下，為了突出正面的人物形象，把他這方面的愛好，全都給抹掉了。這倒合乎他寫作的原則，好，則好到一塌糊塗；壞，也壞到不可救藥。於是，劉備就變成特別有「正人君子」的模樣。其實，劉備總是吃裡扒外，誆騙的都是他劉家自家的人，先荊州，後成都，一路把他們劉家的地盤，都給霸佔了。他的天下，都是他劉家自己人的天下。劉表佔據荊州多年，始終保持中立，既不向中央政府納糧交稅，也不參與任何一方的爭奪地盤。他把荊州當成了自家的自留地，經營得不錯。

董卓被滅，曹操和孫權的勢力逐漸強大起來，他們都想要劉表的自留地荊州。當時曹操認準了劉備和孫權才是他的心腹大患，要想掃平江南，就要先除掉劉備。劉備蝸居在新野那個彈丸之地，深知自己不是曹操的對手，就採納了諸葛亮的計謀，來荊州投靠劉表，要與劉表聯合抗曹。

此時劉表自知身患重病，活不了幾天，就想把荊州讓給劉備。劉備不敢接，怕天下人笑話他不忠不孝，結果，劉表死後，荊州就落在他的小兒子劉琮手裡。但劉琮哪裡有什麼主意，於是聽了他親娘蔡夫人的話，投降了曹操。這時候，劉備要是聽從諸葛亮的建議，佔領荊州，同樣可以抗拒曹操。可是劉備覺得搶奪他兄弟的地盤，面子上不好看，因此沒有答應，率領眾人逃到了襄陽，結果荊州陷落，劉琮和他親娘蔡夫人也被曹操殺掉。至此，劉表的荊州徹底落入他人之手。

羅貫中筆下的劉表，是一個碌碌無為之輩，寫他的目的，不過是為了襯托劉備的忠孝之心。劉表的出場，第一次是聽從袁紹的命令截殺孫堅，他當然不是為袁紹賣命，目的顯然也是孫堅手中藏有的傳國玉璽。這一舉動，不僅與江東孫氏集團結下了深仇大恨，為後來孫權佔領荊州留下了藉口，而且腹背受敵，為荊州的覆滅埋下了大患。劉表在《三國演義》中表現的機會不多，第一次是聽從袁紹的話截擊孫堅，沒有截住孫堅奪下皇帝的玉璽，反而被孫堅反咬一口。第二次是袁術借糧，他沒有借到，導致袁術用計，引來孫堅跨江來圍攻。第三次就是劉備聽從諸葛亮的勸告，來投靠他，他有意將荊州讓給劉備，劉備不敢要。最後一次就是他臨死前，想託孤劉備，被蔡瑁、張允和妻子蔡夫人勸阻，最終沒有安排好自己的接班人，致使自己多年經營的荊州，落入曹操之手。

劉表是一個非常獨特的人物，他一直保持中立，不與任何一方結盟，也不參與豪強之間的爭鬥，力圖在眾豪強的夾縫中謀得一席之地。可是他卻做出了截擊孫堅、託孤劉備這樣的事情，很多人不明白羅貫中這樣安排的用意，以為僅僅是為了表現劉表的膽小無能又野心勃勃的性格。

其實不然，羅貫中這樣安排，是在為劉備後來進軍成都，稱霸蜀中，以忠孝節義立身，做的一次鋪墊和預演。同時也為三國爭戰中，劉備的西蜀戰隊的技戰術風格形成，打下基礎。

由於東漢末年皇室的衰微，皇權逐漸被瓜分，無法再集中於一個人的身上。皇權首先失落的是仁德的力量，這個力量導致群雄並起，最後落入曹操之手；第二種力量就是忠孝，孝治天下的漢朝劉氏宗族，自然不能讓這股力量旁落，故而劉備乘勢而起。他桃園結義，自稱是帝王之胄，推讓徐州牧，拒辭劉表讓荊州，無不表現他對忠孝力量的堅守。劉表的所作所為，也是秉承了這種力量，只不過他目光短淺，沒有利用好這一力量，並對東吳的智勇誠信之力妄生貪念而埋下禍患。

三國演義，就是皇權爭戰三種技戰術風格的爭鬥，三種文化力量的角逐，仁德、忠孝、智勇誠信，構成了三股巨大的勢力，你爭我奪，此消彼長，互相牽制，維持著三分天下的格局。

劉表的死，宣告三國爭戰的大幕正式拉開，也宣告了劉備代表的第三種皇權力量，即忠孝力量的正式形成。劉表不死，劉備就無法佔據荊州，更無法進駐西蜀，三國爭戰自然也就無法上演。所以，劉表的重要性，不在於他出現率有多高，人氣有多旺，表現是否出色，而在於他保留了一種技戰術風格，劃出了一塊自己的訓練基地，為劉備組建皇族後裔戰隊，奠定了堅實的基礎。同時也使劉氏漢家政權，得以苟延殘喘了幾十年。

這才是三娘教子

# 第二章

# 三國鬥法之敲山震皇叔

## ——是兄弟才講義氣

# 桃園三結義：一頭磕出三兄弟

《三國演義》裡最吸引目光，最為人們津津樂道，影響後世最為久遠的演出，當屬桃園三結義。磕頭拜把子，這一中國特色的組織形式，大概就是從桃園這一拜開始的，前無古人，後有蜂擁的來者，可謂開創了中國民間黑社會組織的先河。

說起結拜異姓兄弟，故事多得數不勝數，好處壞處，歷來褒貶不一。英雄好漢結拜，那叫惺惺相惜；地痞流氓結拜，那叫臭味相投；貪官污吏結拜，那叫沆瀣一氣；平民百姓結拜，那叫哥倆好。這是一種非常好的借勢方式，能夠一夜之間使自己的實力壯大數倍，一頭磕下去，磕出的就是一幫人馬，一支隊伍。用磕頭的方式，把毫不相干的幾個人組織一起，既互相壯膽，又互相依靠。這種簡單高效的組織形式，一出現，便為人們熱捧效仿，也就不足為奇了。

羅貫中寫《三國演義》，開篇就非同凡響，用一個數字三，定下了整個故事的基調。從桃園三結義，到三英戰呂布，到三顧茅廬，最後三分天下，正應了一生二，二生三，三生萬物的古老演化法則。

我們不妨回憶一下《三國演義》美好的開篇，正是春光無限，百花盛開時節，在張家後花園裡，滿園桃花，燦若雲霞，張飛命人宰殺了黑牛和白馬，接著與劉備、關羽這兩位異性朋友，焚香擺供，祭告天地。然後，三人跪在地上，焚香盟誓，結拜為異姓兄弟。按照年齡順序，劉備最大，自然是大哥，關羽是老二，張飛是老三，而且不求同年同月同日生，只願同年同月同日死。這是何等新奇的景觀，何等英雄的氣概。從此以後，民間紛紛仿效，結拜成風，一直延續到今天。忠肝義膽，大概也就是從那個時候開始的，不僅僅是朝廷忠臣要具有的風範，也成了平民百姓要遵循的做人準則了。

羅貫中為什麼要以桃園三結義為《三國演義》的開篇呢？關於這一點，眾說紛紜，各有各的說法，各有各的道理。

但是我想，最重要的一點還是羅貫中寫作《三國演義》的意圖，那就是要突出忠義孝廉在皇權統治中的作用。皇權三分，仁德，忠義，智勇。劉備的仁德，關羽的忠義，張飛的勇猛，開篇就讓他們三人結義，實際是暗示了皇權力量的再次結盟，道出了天下三分的箇中因由。

劉備有德而缺乏忠義和智勇，關羽忠肝義膽，是對劉備忠孝力量的補充，張飛勇猛過人，正可彌補劉備的優柔寡斷。唯智謀不足，所以後來劉備又三顧茅廬，請來諸葛亮。為什麼劉備與關張結拜，卻沒有與諸葛亮結拜呢？這顯然不是時間上的巧合，而是順理成章的事情。德、義、勇，完全能夠做到彼此忠心耿耿，堅貞不二，始終如一。唯獨智，是一個水性楊花的東西，飄忽不定，見利忘義。桃園三結義，加上後來加入的諸葛亮，劉備的身上就具備了一個王者所應該具備的一切特徵。

《三國演義》是以劉備為主角，演繹劉關張加諸葛亮四人組合，硬生生從曹操和孫權手中，奪得一塊地盤，創立一個國家的過程。三國中，劉備領銜的西蜀，是人才最匱乏的國家，所以才屢屢上演揮淚斬馬謖、魏延謀反、黃忠掛帥、廖化為先鋒的笑話。為什麼以忠義為立世資本的劉備，反而招納不到人才，籠絡不住人才呢？從桃園三結義就露出了端倪，劉備用人，要求忠孝第一，說白了就是任人唯親，認為只有忠於自己，聽自己的話，一心一意為自己賣命的人才可以用，而忽略了合理的用人原則和用人策略，遠沒有曹操和孫權的胸懷和膽略，更沒有曹魏和東吳的人才濟濟氣象。所以，劉備和諸葛亮雖然在西蜀兢兢業業，勵精圖治，累個半死，但效果並不理想，西蜀的實力也一直沒有真正強大起來。

從我們世俗人的眼裡看桃園三結義，表面豪氣干雲，義薄雲天，令人豔羨，但仔細想想，也是一個非常可怕的事情。結拜就是加入組織，加入了一個小集團，而且紀律嚴明，失去自我，成為小集團組織的打手和幫兇。個人義氣凌駕於集體組織紀律之上，後患無窮。因私情而失去公平和公正，進而導致人們心生積怨，日久生變。

張飛因為義氣被手下砍了腦袋，關羽因為義氣丟掉了荊州，劉備因為義氣棄西蜀大業於不顧，親自率軍伐吳，落了個身死他鄉的下場。特別是張飛屢次違反軍紀，因為是劉備的磕頭兄弟而享受特殊赦免權，失去了公信，也失去了民心，破壞了劉備苦心孤詣樹立的良好形象。這樣看來，講義氣是好事，也是壞事。羅貫中大力宣揚的義氣，成就了劉備，也坑害了劉備。

桃園三結義的地點，選擇了桃園，也並非是出於無心的巧合。桃花在命理學上，又叫咸池，即日入之池，說白了就是太陽落山的地方，劉關張三人在一片桃花中結拜為兄弟，其實是暗指漢朝江山迴光返照，已經無力回天了。也說明了羅貫中對漢朝正統的戀戀不捨，冀望於劉關張這些忠義之士，拯救漢室於傾頹。他的抑曹揚劉，大概就是為了表達對曹操捨棄漢室正宗，引起民族禍亂的不滿。

桃園三結義，是德義勇的代表，為世人點亮的一縷希望之光，點燃了平民百姓心頭的那一團激情之火。

# 三英鬥呂布：這才是三娘教子

劉關張連袂出場表演，最精彩的一次，莫過於三英戰呂布了。這是一場重頭戲，不僅讓人們見識了呂布的英勇無敵，也展示了劉關張三兄弟的義氣和風采，他們一戰成名，人氣指數從此直線上升。

桃園三結義後，劉關張就參加了曹操發起、袁紹掛帥的討伐董卓聯軍。他們首次登場，關羽便斬了猛將華雄，技驚四座。三兄弟集體在沙場亮相，這還是第一次。自從結拜後，劉備一直在尋找機會，想做一件能引起轟動效應的事，藉此揚名立萬。雖然滅黃巾兄弟三人已經小試鋒芒，但效果不是很理想，因為黃巾起義是百姓們忍無可忍的一次暴亂，消滅他們，很難引起百姓們的同情和認可。再加上董卓又是一個狗眼看人低的人，根本沒把他們三個草莽當回事。

呂布出現的正是時候，這樣的機會，劉關張當然不能錯過。呂布是什麼人？天下第一英雄，有萬夫不當之勇，同時他還是不忠不義的代表。如果打敗了呂布，當然能一戰成名，名揚天下。

關羽斬了華雄，風光了一時，張飛坐不住了，呂布來叫陣，他第一個就衝了出去。兩人大戰了五十多回合，不分勝負，關羽一看張飛無法取勝，便飛馬來助陣，二打一，還打不倒呂布。劉備看著也著急，當下就揮劍拍馬加入戰局。三人圍住呂布，走馬燈般一陣亂打，可惜仍然奈何不得呂布。當然，呂布也沒佔到什麼便宜。這樣打下去，呂布可能覺得不公平，群毆算什麼本事，有種的單挑，一個一個來？於是，呂布賣了個破綻，虛晃一槍，拍馬就跑回了自己的營地。

董卓雖然為呂布的神勇叫好，但看到劉關張三人那麼高的水準，也感到害怕，立即捲舖蓋跑了。這一戰，不僅嚇跑了董卓，也震住了曹操，從此曹操認定劉備是大英雄，早晚會成為自己最強勁的對手。所謂英雄所見略同，大概這就是最好的例證了。

除了在軍事上有一定的意義外，三英戰呂布當然還有更深的內涵。從桃園三結義開始，德、義、勇三種力量就緊密結合一起，這次遇到呂布，正好給這三種力量粉墨登場，充分表現的機會。呂布被罵為三姓小兒，絕非偶然，呂布先後認了兩個人為義父，結果兩個義父都死在他的手裡。他是一個典型的不忠、不義、不孝之徒，這麼一個極端的反派人物代表，正應該由劉關張來和他較量。所以，這一次是德、義、勇三股正義力量，對不忠、不義、不孝的邪惡力量的直接交鋒，也預示著羅貫中寫作的主題必將圍繞著忠義仁孝而展開。

在羅貫中筆下，呂布就是邪惡勢力的代表，雖然呂布這個人並非大奸大惡之徒，但其不忠、不孝、不義，只顧自己利益，無情無義的為人，在當時社會已經成為一種破壞大漢江山，摧毀大漢文化最強大的勢力。十常侍、何進、董卓，均是此輩人物，正是這些不忠不義，見利忘義之徒，才一步一步使漢朝江山走向崩潰和滅亡。

三英戰呂布，是十八路諸侯討伐董卓過程中最精彩的一場表演。經過這次對決，董卓開始心生畏懼，最後讓出洛陽，潰逃到長安，落得個身敗名裂。這也讓十八路諸侯，見識到了呂布的厲害，特別是袁紹，不敢再輕舉妄動，甚至攻佔洛陽後，竟然不敢乘勝追擊，入陝消滅董卓。同時，劉關張一戰成名，人氣的旺盛程度，甚至超越了十八路諸侯，特別是袁紹，再也不敢小看他們。而曹操，也認清了自己未來真正的對手在哪裡，認清了自己要時刻提防的敵人是誰。

從桃園三結義到三英戰呂布，劉關張三人從市井好漢，一躍成為蓋世英雄，威名傳播天下。從此，天下人都知道了有一個義薄雲天、忠義神勇的劉關張結拜三人組，為劉備日後爭奪天下造好了聲勢，贏得了民心。

三英戰呂布，表面是一次戰場上的廝殺，實際上是一場正義與邪惡的對決。雖然沒有一方勝出，但結果一見分曉，劉關張深知這一點，曹操更知道這一點。所以，在後來董卓棄洛陽而逃時，只有曹操率軍猛追，在正義上，他不能輸給劉關張三人。

## 煮酒論英雄：一個人酒壺，兩個人夜壺

從關羽溫酒斬華雄、三英戰呂布開始，曹操就認定劉備是深藏不露，韜光養晦的真英雄、大英雄。儘管劉備處處隱藏，故意露拙，瞞過了眾多人，但沒有逃過曹操銳利的目光。

消滅了董卓，袁紹看到大多數諸侯各自散去，自己也懶得侍候皇帝，便返回自己的老家冀州。這個人目光短淺，志大才疏，做出這樣的選擇，一點也不令人奇怪。就憑他當時的實力和威信，留在政府裡，天下的大權，除了他還有誰敢打歪主意？很可惜，他根本看不到這一點，乖乖地放棄了到手的肥肉，成全了曹操。

自己最大的競爭對手走了，曹操輕而易舉地就把國家大權攬在自己的手中。但他和董卓不是一路人，不會有事沒事犯迷糊，而是時刻保持著一個政治家的敏銳和警惕。在穩定了自己在朝廷中的權勢和地位後，他就開始注意潛藏在朝廷和自己身邊的威脅，隨時盯著那些野心家和蠢蠢欲動的潛在對手。

他心裡最清楚劉備的實力和野心，深知他將來會成為自己最大的競爭者。為了防備劉備，他打著

關心愛護的名義，把劉關張三兄弟的住處，安排在自己丞相府的東北角，一牆之隔，方便監視劉備的舉動。

當然，英雄對英雄，自會有一番智慧的較量，劉備也不是傻子，他當然知道曹操熱心為他安排生活和住處的目的。為此他格外低調，小心謹慎，自己閉門不出，不問世事，每天在菜園裡一門心思種菜，成了一個隱居都市的菜農。即便如此，曹操也不會認為他真的變乖了，堅信他就是一條龍，一條潛伏在深淵，隨時會沖天而起的巨龍。為此，劉備越是低調，越是深居簡出不問世事，曹操越不放心，越會坐立不安，欲除之而後快。

皇帝慢慢長大，當然不甘心自己受制於曹操，成為傀儡。他想發展自己的勢力，於是就認了劉備為皇叔，並邀請他一起打獵遊玩，以示重視。同時透過國舅，秘密聯絡劉備，試圖掀翻曹操這塊絆腳石。這樣一來，不僅把劉備嚇壞了，也把曹操嚇了一跳，他隱隱感到有威脅。於是，曹操決定先下手為強，安排了一場私宴，請劉備來家裡喝酒，先探探這個競爭對手的虛實和口風。

曹操請劉備喝酒時，正巧關羽和張飛不在家，見面後曹操第一句話就問，「兄弟在家做好大的事情啊？」這一問讓劉備心裡一驚，以為曹操知道自己與皇帝串聯的事情，要找自己算帳。好在曹操接著拉起他的手，說正是青梅成熟時節，想起當年望梅止渴之事，就摘梅煮酒，請兄弟來品嚐梅子，喝杯小酒，敘敘感情。

曹操先說了一個望梅止渴的故事，緩解一下氣氛，便直入主題，問天下誰是英雄。劉備遮遮掩掩，說了很多手握重兵的諸侯，但都被曹操一一否決。劉備故作懵懂，試問之，曹操撚鬚一笑，指了指自己與劉備說：「天下英雄，唯使君與操耳。」

劉備大驚失色，手中的筷子都掉在了地上。劉備為什麼會嚇成這樣呢？因為這句話揭開了劉備的偽裝，把他的雄心壯志都暴露在了曹操的眼前，就像肥豬放到砧板上，隨時都有被殺掉的危險。好在這時候，忽然雷聲大作，劉備瞬間穩定了心神，說了一句同樣英雄氣概的話，「一震之威，乃至於此。」輕輕地把掉筷子的窘態掩飾了過去。

劉備藉怕雷之由飾驚慌之態，讓曹操又一笑。此次酒局堪稱雙龍聚會，從曹操的「說破英雄驚殺人」到劉備「隨機應變信如神」，可謂步步玄機。曹操的睥睨群雄之態，雄霸天下之志表露無疑。而劉備隨機應變，進退自如，也表現出了一世豪傑所應有的技巧和城府。這一場政治交心，雙方都是贏家。

接下來兩人雖再次飲酒，但彼此心中都在打著算盤，劉備怕露出破綻，而曹操則深深擔心以後有一個強勁對手。

曹操真的讓劉備騙了嗎？非也！曹操沒有那麼好騙，當時沒殺劉備，可能有以下考慮：一，劉備當時勢力尚小，不足以威脅到曹操。劉備雖然是個英雄，但並沒有用武之地，而沒有用武之地的英雄是不能真正算作英雄的，也是用不著過於防範。他一時還成不了氣候，不如等到師出有名之時再來收拾他。二，曹操還有很多實力強大的對手有待清除，過早地殺掉劉備會授人以話柄，再加上劉備的皇叔身分也多少讓曹操有些投鼠忌器。

劉備前來投靠曹操時，曹操的謀士程昱就曾勸曹操把劉備「處理掉」。程昱說：「觀劉備有雄才而甚得眾心，終不為人下，不如早圖之。」曹操的回答則是，「方今收英雄之時也，殺一人而失天下之心，不可。」

青梅煮酒論英雄，是曹操和劉備的第一次真正的思想交鋒，兩人都是大英雄，所以都表現出了非凡的氣概。所謂英雄相惜，大概除了武力的爭鬥，還有鴻圖大略和萬丈雄心的激烈碰撞。經過這一次思想意識的碰撞，劉備終於明白，韜光養晦迷惑不了曹操，如果繼續留在曹操身邊，那必將引來殺身之禍。於是，劉備趕緊拍屁股走人。

八年後，一位英才從山林中走出，成了劉備的總參謀長，這人就是諸葛亮。有此人相助，劉備真的成了曹操最為頭疼的對手，到那時，不知曹操是何種心理感受。

# 千里走單騎：闖關遊戲好好玩

關羽投降曹操，是一個非常有趣的事情，有趣在哪裡呢？人們都說徐庶身在曹營心在漢，沒想到還有比徐庶更厲害的，關羽在曹營，心早就跑到劉備那裡去了。能棲身曹營，不過是為了保護劉備的兩個妻子不受欺負罷了。如果沒有這段經歷，也就沒有後來千里走單騎的精彩傳說了。

說起有趣，還有關羽投曹的曲折經過。曹操知道關羽是個大英雄，所以一直惺惺相惜，想招至自己的麾下，如果不是敬佩關羽為人的忠義，曹操早就將關羽剷除了。他為了得到關羽，便對他進行了誘降，在設下埋伏打跑劉備後，派人包圍了關羽鎮守的下邳。接著，用計把關羽誘到城外，圍困了起來，然後派人勸降。

俗話說「留得青山在，不愁沒柴燒」，可是俗話又說「寧為玉碎，不為瓦全」，下邳被圍困後，擺在關羽面前的是一個兩難選擇——選擇玉碎戰死，既不能實現報效國家的宏願，又有負於兄長託付妻小的重任；選擇留住青山，則要屈膝投降，這又有違於他所標榜的「忠義」。於是只能以「降漢不降曹」來為自己掩飾。

其實，中國古代士大夫的許多行為準則都是相互矛盾糾結的。如何抉擇才算正確？自然見仁見智，難以定論。孰是孰非，就看你的價值取向如何了。於是關羽提出了三個條件，說起來這三個條件還是蠻有意思的，第一條，投降漢朝不投降曹操；第二條，好好供養劉備的兩個妻子；第三條，有了劉備的消息，他就去投靠，不能阻攔。

曹操猶豫了半天，最終還是答應了關羽的條件。關羽又讓曹軍後退三十里，待他見過劉備的兩個妻子，確認平安無事後，才能投降。手下人提醒曹操說，關羽會不會趁機跑掉，曹操堅信關羽是忠義之人，說出的話，絕對會守信，所以毫不遲疑撤退了三十里。關羽進城一看，劉備的兩個妻子安然無恙，便投降了曹操。

曹操為了考驗關羽的忠肝義膽，還故意設了個局，故意把關羽和劉備的兩個妻子安排在一個房間裡。關羽還真沒話說，讓兩個嫂子在房間裡就寢，自己硬生生在門外看了一夜的書，天亮後仍然毫無倦意，看上去精神抖擻，這令曹操敬佩不已。

關羽在曹操那裡，可不像徐庶那樣，白吃白喝，一點奉獻不講。他在曹操和袁紹的爭鬥中，親手斬了袁紹手下的兩員名將顏良和文醜，名震天下，袁紹為此差點砍了劉備。但透過這一戰，劉備才知道關羽在曹操手下當差，忙托人捎信告知自己的下落，接著便上演了千里走單騎的精彩大戲。

曹操對關羽是真心的好，知道他鬍子長，就送給他一個保護鬍子的錦囊，看到他的馬瘦，就送了他一匹赤兔寶馬。曹操對關羽這麼好，弄得關羽很不好意思，當知道了老大劉備的下落，也不好開小差溜掉，只好硬著頭皮找曹操辭行。曹操怎麼捨得放關羽走，於是掛出免見牌。

關羽知道曹操這是故意推托，等了兩天，等不及了，收拾好行李，把曹操送的禮物都留下，寫了一封辭信，然後就開始玩起了闖關遊戲：第一關城門，很輕鬆就闖了過去。第二關是感情關，曹操打出了感情牌，送黃金和錦袍為關羽送行，關羽沒有收黃金，披上錦袍，匆匆告辭，還留下「一言既出，駟馬難追」的成語，為曹操博得了遵守諾言的美譽。第三關是劉備的兩個妻子差點被杜遠劫走弄上山當押寨夫人，多虧被廖化救下。第四關是闖東嶺關殺孔秀。第五關是洛陽斬太守韓福。第六關是胡班相救斬王植。第七關是黃河渡口斬秦琪。第八關是勇鬥夏侯惇，張遼即時趕來解圍。第九關是受土匪追殺，收周倉。第十關是過兄弟的不信任關，揮刀斬曹操大將蔡陽，才重新獲得張飛信任。闖關遊戲，到此結束，下一站就是收關平為義子，迎接劉備回古城，兄弟三人終於再聚首。

一路下來，關羽行程上千里，人們常說過五關斬六將，指的就是這一次驚心動魄的千里走單騎。「過五關，斬六將」那六個刀下鬼是不是關羽所殺我們姑且不去考慮。但是這五關的地理位置，就有點離譜了。

關羽從許都出來，第一站是東嶺關，在漢代的地圖根本不存在，很可能是魏晉以後改的名稱，這個地方無法考察。第二站是洛陽，洛陽在許都西北數百里處，而關羽要到河北的袁紹陣營中去找劉備，可是偏偏往西走，這一點讓人搞不懂。第三站汜水關，其實就是虎牢關，在洛陽東南。讀到這裡，疑問產生了，他怎麼又走回來了？第四站是滎陽，就在汜水邊上。最後一站黃河渡口白馬津，我們只要翻翻地圖便可知白馬津在許昌正北。關羽不著急去找劉備，反而先往西北方去遊覽了一番，殺了幾個無名之將，難道是為了表現這一路自己走得多麼多麼辛苦？

這是劉關張兄弟三人唯一一次失散，這次失散，重點寫關羽投降曹操，過五關斬六將，這看起來是個意外，一個小插曲，細細深究起來，還真有點特殊的意義。兄弟三人失散，其實就是德、義、勇產生了摩擦和隔閡，是對三種力量的一次考驗。劉備投靠了袁紹，慈善之德暫時蒙塵，關羽投靠曹操，忠義再遇仁德，張飛蝸居古城，勇猛單打天下，但也不成氣候。最後兄弟三人終於消除了隔閡，禁受住了考驗，再次聚首，形成了新的合力。

# 敗走華容道：落單了就放你一馬

羅貫中的《三國演義》中，一對一的對決，並不是簡單的比試武藝高低，很多時候，對決的是人的性格品質和道德意志。赤壁一戰，曹操被弄了個灰頭土臉，落荒而逃。逃跑路上無君子，華容道上，曹操可謂心驚膽戰，又逢凶化吉，最後一關恰恰遇到的是關羽，好戲也就有得看了。

火燒赤壁，是諸葛亮和周瑜兩人聯手的傑作，一把火就將曹操燒了個丟盔卸甲。如果此時殺了曹操，對於負責截擊的劉備來說，易如反掌，而在這關鍵時刻，以神機妙算著稱的諸葛亮卻做出一個讓外人看來很糊塗的決定，讓關羽負責攔截曹操的最後一道關卡。

很多人不理解，聰明絕頂的諸葛亮為什麼犯了糊塗，明明知道關羽講義氣、重感情，不會真的殺了曹操，卻為何非要賭咒發誓、費盡心機派關羽去做這件最沒有把握的事情呢？難道是真想放了他們最大的死敵曹操一馬嗎？其實，這是諸葛亮精心策劃的一場陰謀，想故意放走曹操，否則就是曹操生出一對翅膀來，也飛不出西蜀軍隊的手心。

曹操雖然被人污蔑為奸雄，但其胸懷、膽略和氣魄，還是常人難以比擬的。他做為三國戰事中的強力戰隊首領，面對失敗時，狼狽倉惶中還能從容和鎮定，讓人不得不佩服他超越常人的自信和自傲。他被周瑜火燒連營戰船，潰不成軍，卻能在華容道前放聲大笑，真可謂非常人所及。

若吾輩中人，如遭那般摧殘，早已是魂不附體，心如死灰，可是他卻在那時還能恥笑周瑜與諸葛亮不會用兵。恰好此時，遇見了關羽，曹操便抓住他的性格弱點，採用攻心為上之計，一番慷慨陳詞，舊情相訴，讓一向欺強忍弱的關羽網開了一面。

表面看起來，彷彿曹操耍了關公，其實，華容道上無輸家。放了曹操使得關羽的人格被美化到天神的程度。古人言，受人滴水之恩，當湧泉相報。想當初，曹操在關羽降漢不降曹時，對其關愛備至，不僅為他討來「漢壽亭侯」這樣重量級的勛位，還送給他日行千里的赤兔馬，並且在關羽投奔劉備時一路大放綠燈。自古及今，愛才若此莫過曹操。此刻曹操已經是走投無路，關羽安能不救？同時這也是曹操德行和胸襟寫照。更為重要的是，正是關羽華容道放曹，歪打正著地成就了諸葛亮三分天下的戰略構想。

赤壁大戰之前，曹操消滅了呂布和袁紹，穩定了北方，就想一鼓作氣掃平江南，首先盯上了扼制江南要衝的荊州。他趁著保持中立的劉表嗚呼哀哉了，很快地威懾劉表的兒子劉琮舉起白旗，拿下了荊州。對於東吳孫權來說，曹操的目標很明顯，就是以荊州為跳板，進而滅掉東吳，統一天下。這種局勢下，逼迫他非得與劉備帶領的殘兵敗將聯手不可。何況還有諸葛亮這個初出茅廬，一心想證明自己是天下第一聰明之人的從中遊說。

在這樣的背景下，劉備當然希望擊敗曹操，消滅他的有生力量，讓自己既能穩住北方，又不能對江南構成太大威脅，有心無力，老老實實待在北方就足夠了。試想，若真是殺了曹操，將來誰來牽

制強大的孫吳政權呢？中國人無論做什麼事，都喜歡講究平衡。在此之前群雄混戰，你殺我，我殺你，不分出個老大總是不甘休，而今互相制肘，卻能共存共榮。所以，諸葛亮安排關羽放了曹操，還有什麼不可以理解的呢？

其實，華容道最大的贏家並非曹、關二人，而是諸葛亮。諸葛亮自從被劉備請出山，拜為軍師後，關羽一直不服氣，他自恃武藝高強，且又讀了些兵書，加上是劉備的結義兄弟，並沒有將軍師放在眼裡。關羽在華容道上放了曹操，諸葛亮為立軍威，假模假樣地堅持要殺關羽，見此情景，劉備和張飛不得不過來為關羽求情。如此，諸葛亮便順手推舟做了個人情。這樣，諸葛亮旁敲側擊地打擊了劉關張的幫派主義和山頭主義，客觀上，樹立了自己在政治上的權威。重要的是，出於西蜀劉備軍隊的安危，也不能殺了曹操，沒有了曹操，劉備滅亡的日子也就到了。

道理很簡單，如果沒有了曹操來制衡東吳，那麼孫權便一枝獨秀，接下來矛頭就指向了劉備。夾縫中生存雖然難受，但沒有了夾縫，連生存的機會也不會有，做為一個具有政治大智慧的劉備和一個具有通天之才的諸葛亮，如果看不到這一點，那還算什麼大人物呢？

諸葛亮在安排捉放曹這件事上，煞費苦心，既不能明目張膽地放，這樣做在東吳那邊不好交代，會破壞吳蜀聯盟的大計，也不能偷偷地安排將士放水，那樣就會失去軍心和民心。他想來想去，也只有關羽來完成這個任務才恰到好處，讓外人覺得僅僅是用人失誤，而非故意為之。為此，諸葛亮還裝模作樣地使用激將法，和關羽立下了軍令狀。

一石三鳥，諸葛亮的高明之處，無人能及。

美人計
看你反不反

第三章

# 三國鬥法之縱色戲英雄

——美女別動隊，別動也不對

# 貂蟬戲呂布：美人計看你反不反

《三國演義》是男人戲，女人露臉的機會不多，最精彩的一個女人，只有美女貂蟬了。貂蟬美女的出現，還多虧了董卓亂政。董卓心黑手辣，當了丞相，也不把皇帝當人看，隨意糟蹋，眾大臣看不慣，就想除掉他。可是想不出什麼好辦法，尤其是董卓身邊有了呂布，如虎添翼，更不好對付了。

有一天，王允看見了貂蟬，突然來了靈感，他知道董卓好色，就決定犧牲貂蟬，來個美人計加離間計，於是提供了貂蟬在《三國演義》出現的機會。

貂蟬是王允豢養的一個藝妓，就是專門表演歌舞給王允看的，當然，王允如果要求特殊服務，貂蟬也不能拒絕。羅貫中筆下的貂蟬，還是一個情深意重，有遠大理想和抱負的女子，一心要報答王允的知遇之恩，願替王允分憂解難，為家為國出力。這樣的女子實在難得，完全符合王允的要求。

王允給貂蟬的任務就是用美色和柔情迷住董卓和呂布，想方設法讓父子兩人爭風吃醋，反目成仇，如此一來，就可以各個擊破了。這樣的事情，對女人來說，也難也不難，難的是，不僅要長得漂亮，嫵媚妖冶，風情萬種，有足夠的魅力迷住男人，更重要的是要有膽量。董卓和呂布都是有妻子小妾的人，一般的女人當然很難拉他們下水，王允之所以敢讓貂蟬去完成這個艱巨的任務，一定是對她充滿了信心，明白貂蟬的能力和魅力。貂蟬果然出手不凡，很快就把董卓和呂布父子兩人征服了。

事情的經過一點也不複雜，王允設了個圈套，請呂布到家中喝酒，然後讓貂蟬出來歌舞助興，呂布一見貂蟬，眼睛立刻就直了，王允順水推舟，答應把貂蟬送給呂布當小妾。呂布心滿意足，回家就等王允把貂蟬送上門來。

呂布中計之後，王允故技重演，又把董卓請到家裡喝酒，貂蟬又把他給迷倒了。在一般人心目中，董卓的舞臺形象應該是大花臉、將軍肚、粗聲濁氣，酒色之徒。一見貂蟬，立刻表現出一種性的高度亢奮狀，哇呀呀地衝動起來。那急不可耐的下三濫樣子，充分刻劃出一個絕對粗俗，但有權有勢的頭面人物形象。果不其然，當晚董卓就把貂蟬帶回了自己的府第。

一個人，混到了一人之下，萬人之上的地步，弄幾個女人玩玩，對於古人來說也無傷大雅。這樣的事史書通常都不記載，只有羅貫中感興趣，抓住大人物這些小地方做文章。他筆下的《三國演義》是一部講權謀的書，無論是陰謀陽謀，用的全是計，全書的第一個計，就是「連環計」，也就是用女人來誘惑好色之徒上鉤的計，董卓恰恰在這上面栽了跟頭。

接下來說呂布，他不知道內中因由，以為董卓去王允府為自己求親去了，結果董卓把貂蟬帶回來自己享用，簡直氣個半死。這時，王允又趁機火上澆油，添油加醋地訴說董卓是如何硬生生把貂蟬奪走，如此一來，呂布的心裡便埋下了對董卓仇恨的種子。事情到了這個份上，僅僅是個開始，下一步，就要看貂蟬的本事了。

貂蟬尋找各種機會接近呂布，向他訴說相思之苦，哭訴董卓禽獸不如，一點也不顧及他們父子情面，霸佔了她。貂蟬的戲，演的太深情了，使呂布神魂顛倒，徹底掉進了她佈下的迷魂陣。貂蟬感覺機會已經成熟，就趁董卓不在家，故意和呂布在後花園約會，引來董卓來捉姦。就這樣父子兩人撕破了臉皮，董卓和呂布這兩個愛情至上主義者，為貂蟬差點像西洋人那樣決鬥。

貂蟬趁熱打鐵，再次施展離間計，向董卓控告呂布如何調戲她，她如何不從，致使父子徹底反目成仇。呂布看到奪回貂蟬無望，就和王允聯手，把董卓的腦袋砍了下來。貂蟬順利完成了自己的歷史使命，當然也就順理成章退出了歷史的舞臺。至於貂蟬後來的生活如何，羅貫中沒有交代，我們也就不得而知了。

董卓篡政，使東漢皇權徹底四分五裂，皇權中最重要的力量：仁德、忠孝、智勇、誠信，都在承受著巨大的考驗。董卓和呂布做為皇權的控制者，以下三方面的表現，其實就決定了他們的命運。父子爭一妓，本身就失去了仁德：父奪子妾，是為不仁；子爭父妾，是為不忠不義不孝。王允獻出美女使出離間計，是為智；貂蟬敢於挺身而出，周旋於董卓呂布父子間，是為勇。一場戲，就把漢朝皇權力量崩潰的原因揭示得淋漓盡致。

女人、宦官、外戚，是漢末皇權衰落的主要原因。用貂蟬來除掉董卓，這事多少耐人尋味。假如董卓是正義忠孝之人，以德輔政，呂布是忠心不二之臣，那麼也就不需要貂蟬出手了。即便貂蟬出

手，也不會發揮什麼作用。董卓和呂布既然是大奸大惡之人，而且氣焰甚為囂張，正義力量是難以戰勝他們的。所謂以毒攻毒，貂蟬用美色輕輕一擊就土崩瓦解，可見人的本性常常會超越正邪，這也是對外強中乾的仁義道德的最大譏諷。

貂蟬戲呂布，使貂蟬名揚天下，成為中國歷史上最有名的四大美女之一。為了政治鬥爭需要，王允不惜用女人做為武器，可見男人為了所謂權力地位，什麼都可以拋出的。很難評價貂蟬這麼做是值還是不值，看得出，她既不愛王允，也不愛董卓和呂布。用現代人的眼光看，她僅僅是為了證明自己，證明自己的魅力，證明自己的能力，雖然付出的代價是慘重和不堪的。

一笑傾城，再笑傾國，武力不能解決，文明不能征服的西涼鄙夫董卓，被一個小女子給輕鬆地解決了。一個貂蟬，把十八路諸侯沒有做成的事情做成了，使這個窮兇極惡的惡人，身首異處，陳屍街衢。

自從人類懂得可以靠權力獲取情慾的滿足和美色的佔有之後，美人計便出現了。權力可以得到金錢和女色，金錢能夠買到女色和權力，同樣，女色也能換來權力和金錢。直到今天，這個古老的計謀，依舊有用武之地，走董卓道路者，也還大有人在。

# 伏皇后避禍：躲入牆壁也躲不過

東漢皇權爭奪，大多與後宮有關，如果不是後宮禍亂朝政，東漢也就沒有亡國之憂，更不至於朝廷大權落入董卓、曹操這樣的人手裡。

王允滅了董卓之後，皇帝再度成為一些野心家爭奪的對象，先有李傕和郭汜把漢獻帝和皇后爭來搶去，從城裡弄到城外，連飯都吃不上，給的肉都是臭肉。又從長安弄到洛陽，過黃河繩捆手拉，別說皇帝的尊嚴，連普通人的面子也都丟盡了。後來落到曹操手裡，他對待皇帝和皇后，還算給點顏面，起碼好吃好喝好招待，表面上還裝裝樣子。但是曹操這個人心狠手辣，當然不允許漢獻帝生二心。

在《三國演義》裡，漢獻帝是一個很窩囊的皇帝。他先是被董卓當作手中的一張王牌，接著成了李傕和郭汜爭來奪去的救命稻草，最後被曹操牢牢抓在手裡，成了任其擺佈的玩偶。漢獻帝無法忍受這種高級囚徒的生活，於是策劃一次反曹的行動。

但他實在沒有力量，也不知道誰可以依靠，便給國舅董承寫了封血書，藏在衣帶裡，連衣服一

塊賜給他，讓他發詔勤王。後來未能成功，被曹操的特務發現。於是，曹操命人殺掉了董妃，漢獻帝更加不自由了。後來，漢獻帝又聽從了伏皇后的意見，決定鋌而走險，結果再次送了伏皇后的小命。

其實，這次密謀除掉曹操，並非漢獻帝的意思，他已經被董妃那件事嚇怕了，不再敢輕舉妄動。但他禁不住伏皇后的勸說和曹操的羞辱，所以決定再一次與外戚勾結。這樣的把戲曹操早已司空見慣，所以陰謀很快被識破，漢獻帝落得賠了夫人又折兵。

當時，曹操想攻打劉備和孫權，便去面見漢獻帝，希望漢獻帝能主動授權自己去討伐孫劉。漢獻帝正和伏皇后在一起，聽了曹操的話，哪敢說不行。

他說，「什麼事全憑丞相做主，你自己看著辦就行。」這下曹操不高興了，為什麼呢？曹操的意思是，你是皇帝，你應該主動命令我去討伐，那樣才能顯出君臣之禮，否則好像是我欺負你一樣，讓天下人笑話我。曹操為此很不高興，氣呼呼地走了。本來漢獻帝也沒感覺到什麼，他受這樣的窩囊氣已經習慣了。

可是身旁的伏皇后卻感覺受到了極大的侮辱，她鼓動漢獻帝說，「這樣窩囊地活著，還不如死了算了。」於是夫妻兩人就密謀串聯伏皇后的父親，除掉曹操，結果事情敗露，伏皇后再次成為犧牲品。

此事過後，曹操想廢掉漢獻帝，另立他人為皇帝，結果被大臣給勸住了。饒了皇帝，但曹操不能饒了伏皇后，否則這口氣沒地方出。他先讓人到後宮收回了皇后印璽，接著派華歆去後宮捉拿伏皇后。伏皇后見逃跑已來不及，就藏到一個牆壁的夾層裡。華歆找不到伏皇后，派人滿屋子搜尋，最後打破牆壁，親手扯住伏皇后的頭髮，把她從牆壁裡拽了出來。伏皇后披散著頭髮，光著腳丫，被押到曹操的面前，被曹操命人用亂棍活活打死了。

從牆壁夾層裡拖出伏皇后的華歆，也是大名鼎鼎的人物，這件事使他的形象一落千丈，被世人唾罵為小人。當然，華歆最令人不齒的還不是這件事，而是後來的逼迫漢獻帝讓出皇帝寶座給曹丕，那是後話，先按下不提。

羅貫中這次詳細生動描述華歆捉拿伏皇后的過程，其用意也是多方面的。首先，對待一國之后，華歆一點尊敬的意思都沒有，可見其為人的勢利，這是對曹操行仁德以立國的莫大諷刺。

華歆本來是孫權的手下，孫權派他出使曹操，他卻在曹操那裡當了官。曹操能用這樣的人來捉拿伏皇后，可見曹操的仁德多麼虛偽。其次，伏皇后被華歆從牆壁裡扯出來後，曾先後哀求過三個人，這三個人的反應都很有意思。

伏皇后哀求華歆饒命，華歆說，「我是奉丞相的命令，妳去和丞相說吧。」伏皇后哀求皇帝救命，皇帝說，「我自己的命能保住就不錯，救不了妳了。」伏皇后最後求曹操網開一面，曹操說，「我待妳很好，妳卻要殺我，我不殺妳，早晚就是妳殺我。」

說來說去，伏皇后的死，好像三個人都沒有責任，是伏皇后自己找死。可見，皇權鬥爭的殘酷，完全喪失了人性，不會因為妳是軟弱的女人就會有憐憫之意，女人一旦和政治沾上了邊，就註定了悲劇的結局。

曹操兩次誅殺漢獻帝的女人，兩次暴露了他的殘暴和狡詐。為了樹立自己仁德的形象，他當然不能殺害皇帝，只能揪出女人來當犧牲品，殺了女人發洩自己的憤恨，這一招，雖然也有風險，但不至於遭到大多數人的反對。女人在權力的鬥爭中，只是無足輕重的裝飾品，所以伏皇后一旦踏上這條路，只有死路一條。即便她不密謀造反，也不會有好的結果。

伏皇后的輕易被殺，從更深層次反映了曹操對皇權的控制程度，已經達到喪心病狂的地步，僅僅因為皇帝沒有做出樣子命令他出兵討伐孫劉，就給了皇帝臉色看。

厚德載物，不是做做樣子，殺掉伏皇后，使曹操苦心樹立起來的仁德形象，又一次大打折扣。

# 甘夫人生子：甘拜的何止下風

在《三國演義》中，劉備什麼時候娶妻，而且一下子娶了兩個，羅貫中沒有交待，但這件事，顯然發生在劉備投靠徐州陶謙之後，被曹操追殺投奔袁紹之前。因為劉備在京都菜園種地的時候還是單身漢，而轉眼的工夫，關羽投降曹操，就是因為有了兩個皇嫂，也就是劉備的兩個媳婦，後來才有了千里走單騎的美麗傳說，可見，劉備是在投靠徐州陶謙，駐紮小沛，生活穩定下來後，連娶了兩個妻子，甘夫人和糜夫人。

甘夫人排名第一，而且給劉備生了個兒子阿斗，所以地位最高，影響也大一點，是劉備四個妻子中，較有代表性的一個。至於甘夫人的來歷，書中沒說，我們也不好亂猜測，可能娶的就是普通人家的女兒，如果出身名門，哪怕像糜夫人那樣，稍微有點地位，羅貫中就會有所記載了。甘夫人在《三國演義》裡的最大作用，就是生了一個阿斗，成就了千古流傳的一句話，「扶不起的阿斗。」

另一個作用，就是當了兩次道具，一次為關羽上演千里走單騎提供了理由，另一次為趙雲上演長坂坡救主提供了機會。甘夫人一生這三件事，使她聲名遠播，成就了一個樂不思蜀的皇帝和兩個千古傳誦的大英雄。

甘夫人在書中，若隱若現，似有似無，很少有正面的描寫，這與羅貫中的寫作視角有很大關係。整部《三國演義》，很少有女人出場，幾乎都是男人之間的龍爭虎鬥，偶爾閃過女人的名字，也完全是出於男人之間的鬥爭需要，而不是女人們居家過日子的家長裡短，兒女情長。

甘夫人做為劉備而立之年才娶的妻子，看來是深得丈夫喜歡。雖然書中沒有描寫甘夫人長得如何，但推測一下就會知道，她一定是個漂亮迷人的女子，否則毫無社會地位，無權無勢，小戶人家的女兒，怎麼能被劉備看得上呢？她與劉備的其他三個妻子，在出身上根本沒法比，糜夫人娘家有權有錢有地位，她哥哥糜竺貢獻了很多財物給劉備，還跟著劉備一起打天下。孫尚香就不用說了，是孫權的親妹妹，吳夫人也是蜀國大將吳懿的妹妹。對比下來，甘夫人唯一受寵的原因，只能是美貌和性情了。

阿斗出生，應該是劉備在荊州投靠劉表期間，劉備當然非常高興，而立之年才有自己的後代，自然對甘夫人重視一些。在長坂坡與曹操打的那一仗，劉備特別狼狽，被打得抱頭鼠竄，妻兒都不顧了，只管自己逃命。

劉備一生的最大特點就是丟東西，不僅丟的東西種類很多，而且一樣東西可以重複丟很多次。做為英雄，他丟過徐州、荊州等好幾塊地盤；做為兄長，他丟過關羽、張飛兩個最好的兄弟；做為丈夫，他丟過三個妻子；做為父親，他丟過孩子。這次他就把兩個妻子和一個兒子弄丟了，之所以落得如此下場，也怪不得別人，都怪他撤退時還要帶上老百姓，以彰顯自己的美好品德。這樣一來，部隊根本就走不動，結果被曹操追了上來，打了個七零八落。甘夫人自己落了單，披頭散髮，鞋子都跑丟了，多虧趙雲即時趕到，才救了她，被糜竺護送回去。而糜夫人為了讓趙雲保護阿斗突出重圍，自己投井而死。

於此可見，傳統的道德觀念，和中國人舊有的文化心理，以及禮義仁智信，溫良恭儉讓的孔孟之道，顯然只可放在口頭上說說而已。如果真這樣做，政治家可能有感召力，但成功的希望卻會喪失殆盡。因為對政治家來說，沒有永久的朋友，也沒有永久的敵人，一切以維護和擴充自我利益為準繩，感情是次而又次之的。

接下來的精彩表演，莫過於劉備摔阿斗了，由此還演繹了一句流傳千年的歇後語，劉備摔孩子——收買人心。事情經過是這樣的：

趙雲救回阿斗，把阿斗交給劉備的時候，劉備一下子就把阿斗扔在了地上，說了一句：「為了這個小孩，差點折損我一員大將，留你何用！」以此來表示，自己喜愛趙雲，勝過自己的兒子。趙雲當然就會感激涕零，其他的部下聽了，也會認為跟著劉備肯定不會受虧待。

即便劉備如此喜歡甘夫人，她都可有可無，可見女人在三國裡的地位多麼低下。不知道羅貫中是出於什麼心理和什麼目的，如此忽視女人的存在。讓整部《三國演義》，陰陽比例嚴重失調，滿眼打打殺殺，沒有一點生活的氣息。也使三國的征戰，失去了應有的柔性和生動。

赤壁之戰後，甘夫人死在荊州，她的死驚動了東吳的孫權和周瑜，這才有周瑜定下美人計，把孫權的親妹妹嫁給劉備，上演了賠了夫人又折兵的這場戲。

甘夫人嫁給劉備，顯然不是出於政治目的，純粹是男女之情，這讓甘夫人的出現有了一些特殊的意義。三國裡的男人們，除了曹操有一次睡了張繡的嫂子，董卓中計睡了貂蟬美女，其他人很少有男女生活的描寫。女人的世界，好像都與他們無關。

自古英雄愛美人，《三國演義》中湧現出了那麼多的英雄，理所當然就應該有眾多的美女來演繹愛恨情仇，生離死別。可惜羅貫中不知出於什麼緣故，選擇性失明，弄出一片陽剛世界。所以甘夫人的出現，多少讓我們窺測到了作者對女人，以及對男女生活的態度。

劉備這個人菩薩心腸，四處充當英雄好漢，但是對家庭，對妻子兒女，好像就不那麼盡心了。兩次和甘夫人失散，劉備都不著急，好像故意那樣安排，來考驗兄弟們對他的忠誠和仗義。結果，關羽禁受住了考驗，趙雲也禁受住了考驗，使劉備信奉的忠義慈孝，得到了最大程度的彰顯，人氣不斷上升。劉備的這一收穫，當然也離不開甘夫人默默的付出。從這裡可以看出，女人在三國中也是一股政治力量，雖然力量很小，但也不能小看。

# 小喬出嫁了：我姐夫是老大

三國裡的女人，幾乎都是為政治鬥爭而存在的，其中最幸福、最浪漫的女人，大概就數小喬了。可是她嫁給了風流倜儻的周瑜，是幸運，也是不幸。不管怎麼說，小喬的婚姻也屬於政治婚姻的範疇。她同樣沒有資格選擇愛或者不愛，這種對女人來說，顯然是不公平的，但又是非常實惠和值得誇耀的。

小喬嫁給了周瑜，身分自然大大提高，成了高官的太太，這是很多女孩夢寐以求的。但這樣的好事，不是一般的命好就能遇到的，要出奇地好，好到天上掉餡餅都能砸到頭上才行。因為天下畢竟一個周瑜，百年不遇，萬裡挑一。所以，小喬嫁給了周瑜，幸運的因素佔了大部分，但也有不幸，這種不幸註定是深入骨髓的。

既然小喬有這麼好的婚姻，怎麼還會有不幸呢？其實不幸就是因為這婚姻看上去太美好了，美好的冷酷、殘忍。羅貫中並沒有爆料小喬出嫁後的生活細節，也沒有透露她婚後是否幸福得一塌糊塗。小喬也沒有正式露面，留下都是側影，透過他人之口，一晃而過。雖然只是側影一閃，但小喬就像晴空的一個霹靂，一下子引起了人們的廣泛關注，讓人們再也無法忘掉這個大美人了。

小喬的出現，顯然是一場政治陰謀。諸葛亮為了達到聯吳抗曹的目的，故意裝作不知道小喬是周瑜的妻子，說曹操看上了小喬姐妹，如果周瑜把小喬姐妹送給曹操和親，就會免除兩國的戰爭，保住東吳的安全。這一招果然有效，周瑜立即被激怒，下定決心要與曹操死掐到底。這一次，小喬成了諸葛亮手中的一張王牌。

其實，做為政治上的一張王牌，小喬雖然沒有正式露臉，但已經被人多次打出。最早打出這張牌的是孫策，為了籠絡周瑜，孫策娶了大喬，把小喬許配給了周瑜，實現了政治上聯姻，讓孫策和周瑜的關係更加牢固和緊密。第二個打出小喬這張牌的是曹操，曹操為了在氣勢上壓倒東吳，在漳河邊修建了一座高臺，名叫銅雀臺，發誓要蕩平四海，把大小喬姐妹兩人，搶去安置在銅雀臺上，以安度晚年，盡享人生的快樂。這次小喬成了曹操打擊周瑜和姐夫孫策的一枚飛鏢。

第三次打這張牌的是大才子曹植，曹植做了一篇《銅雀臺賦》，其中最有名的一句，大概就數「攬二喬於東南兮，樂朝夕之與共。」因為這句話最有野心和氣勢，而得以廣泛流傳，後人才有「銅雀春深鎖二喬」的豔麗佳句。這首《銅雀臺賦》一出，天下人盡知曹植的才華，使他的人氣，一下子飆升，天下人也從此知道了小喬和姐姐大喬都是天下少有的美女。最後打出這張牌的，就是聰明絕頂的諸葛亮，這一次，把小喬的戲，推向了高潮。

小喬的美，是透過諸葛亮的嘴說出來了，什麼沉魚落雁之容，閉月羞花之貌，如果天下選美，前兩名非她姐妹二人莫屬。小喬命運的不幸，最重要的一點就是她的美成了一枚政治炸彈，側影上鏡一次，就被四個人透過不同的方式，對各自對手進行了打擊，尤其對周瑜，讓他發誓與曹操勢不兩立，決定放手一搏。同時，不得不接受諸葛亮的條件，與其結盟，共同抗擊曹操。

女人最幸福的生活，大概就應該是夫妻相守，恩愛纏綿，盡享魚水之歡了。如果一旦成為男人們政治上角力的工具，那麼生活自然就身不由己，枯燥乏味。男人如果為天下大事勞心費力，殫精竭慮，自然就無暇顧及女人的情感，免不了夫妻生活寡淡無味，日久天長，女人的寂寞空虛就會乘虛而入。所謂的幸福，不免就會大打折扣。

我們無法知道小喬婚後的生活細節，但根據周瑜的工作狀況，我們完全能夠判斷出小喬婚後的心理軌跡。除了榮華富貴以外，小喬的夫妻生活是否融洽，還真難說。

小喬的另一個不幸是年輕守寡，她嫁給周瑜後，享受一段時間的夫妻幸福生活，她的周郎就被諸葛亮氣死了。周瑜死的時候，小喬應該也就三十歲左右，正可謂風華正茂，突然形隻影單，獨守空房，感情上肯定是巨大的打擊。自古紅顏多薄命，看來天妒紅顏，老天也不會把所有的好事，所有的幸福都給一個人，那樣就太不公平。可見女人長得太美了，也不見得是好事。

小喬失去丈夫後心情如何，沒人知道，但羅貫中寫小喬的用意，我們有理由要弄明白。表面上來看，是為了表現諸葛亮聰明機智，老謀深算，但往深裡挖掘一下，會發現還有更深的含意，那就是從側面揭示曹操和東吳，各自的野心和醜惡的形象。

雖然曹操和周瑜，都是了不起的大政治家，志向高遠，野心勃勃，但一個美女就能讓他們的雄心壯志化為個人私仇恩怨，可見英雄也有氣短時，也有人性中自私狹隘、醜陋卑鄙的一面。為此付出有悖於英雄壯志豪情的代價，暴露出人生性格的侷限性。

# 孫尚香成婚：騙色也騙財

劉備一生所做的事情，幾乎都是為了自己的政治地位和政治權力，即便是找女人娶妻子，大多也是為了這個目的。迎娶孫尚香，是他最成功，效益最大化的一次政治聯姻。孫尚香可不是一般官宦人家的閨秀，她是孫權的妹妹，孫老太太的掌上明珠，地位當然非同一般。

劉備佔據荊州後，令孫權如芒在背。但要想用武力打死劉備，當然不是件容易的事情，特別是江北還盤踞著更強大的敵人曹操，隨時窺視著自己，如果劉備與曹操聯手，兩面夾擊，腹背受敵，那他孫權的死期就到了。在如此嚴峻的形勢下，周瑜想出了一個餿主意，使用美人計，把孫權的妹妹孫尚香許配給劉備，讓劉備貪戀女色，沉迷在溫柔鄉之中，離間劉備和手下們的感情，進而達到滅了劉備的目的。這主意當然不錯，可惜周瑜聰明，遇到了一個比自己還聰明的對手諸葛亮。諸葛亮將計就計，不僅幫助劉備順利地娶到了孫尚香，還趁機把孫尚香拐到了西蜀，這就是有名的「賠了夫人又折兵」這句話的來歷。

孫尚香出身豪門，從小嬌生慣養，養成了自己獨特的個性，喜歡舞槍弄棒，打打殺殺，像她的哥哥一樣，很有男人氣概。即使嫁給了劉備，她還經常帶領一群手下，招搖過市，耀武揚威，嚇得劉備每次回家都提心吊膽，害怕不小心得罪了她而弄丟了腦袋。

雖然孫尚香「不愛紅裝愛武裝」，但也不是個不明事理，胡攪蠻纏的人兒，在哥哥孫權和周瑜想把她丈夫劉備扣押在東吳，消磨他的意志時，孫尚香積極主動想方設法幫助丈夫逃回了西蜀，並把追捕攔截劉備的東吳將領，狠狠地訓斥了一頓。

不能說孫尚香不愛自己的丈夫劉備，但劉備肯定不愛孫尚香。從哪可看出呢？孫尚香跟隨劉備到了西蜀後，劉備就很少和她在一起，好像處處躲著她。劉備西征益州時，更是把她扔在荊州，讓趙雲照看。這一段時間，孫尚香大概心有不平，當她哥哥孫權派間諜接她回吳國時，她毫不猶豫地乘船返回了吳國，還差一點把劉備的兒子阿斗給拐跑，好歹被趙雲和張飛沿江攔截，才把阿斗搶了回來。孫尚香這次回了娘家，就再也沒有回到丈夫劉備的身邊，從此兩人正式分居，婚姻關係也名存實亡。

其實孫尚香也不是沒有一點女子柔情的刁蠻公主，記得她嫁給劉備的前天晚上，還有一首古風描寫她的女子柔情，「春風復多情，吹我羅裳開。」「我心如松柏，君情復何似。」多麼深情的女孩，颯爽英姿，又嫵媚動人，配劉備那個糟老頭，還是綽綽有餘的。如果不是成了自己哥哥的政治犧牲品，她應該能找到一個深愛自己的如意郎君。

吳蜀兩家聯姻，直接的目的就是政治鬥爭的需要。但為什麼是吳蜀兩家聯姻，而不是吳魏和蜀魏呢？這個問題非常有意思，最直接的原因是，只有吳蜀聯合才能抗拒曹操的進攻，而雙方任何一方投靠曹操，那結局就會不言而喻，兔死狐悲，最後也難免被曹操滅掉。舉吳蜀兩國之力，才能與曹操打個平手，互相抗衡。

如果繼續深究，吳蜀之所以能聯合和聯姻，還與兩國的立國之本有關。孫吳所處的江東，經濟富庶，文化底蘊深厚，儒雅俊朗之士，多有翩翩君子之風，崇尚智勇誠信，講究禮義廉恥，為此東吳人行事，往往溫文爾雅，雖智勇但不魯莽，周瑜就是典型的代表。而劉備的西蜀，崇尚忠義慈孝，以忠孝感動天下。這兩種力量，單拉出哪一種，都無法與行仁德之政而號召天下的威武之師相抗衡，而且仁德在很大程度上是排斥建立在個人感情上的忠義慈孝和溫文爾雅的智勇之風，講究是非分明，正義堅貞，大公無私，剛直不阿。所以立足北方，以仁德為立國之本的曹操，從骨子裡就不可能與孫劉聯合，兒女婚姻上，也不容易找到文化道德共同點。

羅貫中在基於歷史史實的基礎上，對三國風雲變幻的梳理和演繹，其目的是試圖找到皇權盛衰的根本原因，從幾千年深厚的歷史文化層次上，發掘其三國分立的內在基礎。孫尚香夾雜其中，就像一個文化因數，活躍在吳蜀兩種文化基因裡，既有衝突，又有融合，使兩種文化力量進行有效的交叉和綜合，發揮彼此互相利用，互相依存的紐帶作用。

俗話說，老不看三國，少不看西遊。這不僅是因為三國能激起人們志在天下的雄心壯志，但到老了再激起這些理想壯志，只能徒生傷感和悲切。另一方面，三國太過於政治化，沒有生活，沒有人情味，這也是老了不該再讀三國的重要理由。

為了哥哥的政治鬥爭需要，孫尚香被迫犧牲個人一生的幸福，這是她的悲劇，也是社會政治的悲劇，同樣更是文化的悲劇。羅貫中可能並沒有意識到孫尚香做為一個女人的悲劇，而是從政治上的喜好，來安排她的命運，這也是《三國演義》令人詬病的地方。

情感生活不是人生的全部，但是沒有這種生活，任何文學都將失去人性的光彩。

不聽兄弟言，吃虧在眼前

第四章

# 三國鬥法之溫火烹諸葛

——三顧茅廬找廁所

# 隆中對：對眼對出三燒餅

劉備在遇到諸葛亮前，一直很難成事，在他身上，總感覺缺少什麼。後來有了諸葛亮，終於讓人明白，劉備雖然志向遠大，胸懷寬廣，但身邊缺少深謀遠慮、有長遠戰略眼光的人，總是頭疼醫頭，腳疼醫腳，沒有一個長期的戰略規劃和戰略目標，說白了就是缺少戰略家的智慧，沒有大氣魄、大手筆，所以難成大事。

其實劉備也知道自己缺少什麼，所以他和關羽、張飛桃園三結義，壯大自己的實力。忠義勇武，自己都具備了，缺的就是戰略目光和智謀。所以他東跑西顛了十幾年，一無所成，在聽了別人推薦諸葛亮後，當然會欣喜若狂，這正是他十幾年苦苦尋找的，能夠讓他發生本質飛躍的經天緯地之才。

最早向劉備推薦諸葛亮的是水鏡先生，劉備也沒太在意，那時候徐庶在為他出謀劃策。有一次曹操被劉備打敗，於是設計把徐庶的親娘騙到了許昌，徐庶是一個大孝子，沒辦法，只好向劉備推薦諸葛亮，自己則來到許昌見親娘。後來，水鏡先生又到劉備處，繼續向他推薦諸葛亮，說諸葛亮比

管仲和樂毅厲害多了，水準應該與姜子牙和張良不相上下，這樣一說，劉備更坐不住了，非要請來諸葛亮不可。從冬天到夏天，一共跑了三趟，才算見到諸葛亮，並用誠心打動了諸葛亮。

諸葛亮自稱臥龍先生，他和劉備第一次見面的一番狀況，就是有名的《隆中對》。諸葛亮早已為劉備謀劃好發展路線圖，提前畫了三個大燒餅，預先為劉備留了一個，就看他有沒有本事吃到。

《隆中對》的核心思路就是如今大漢已進入一個不問皇帝死活、紛紛搶佔地盤的時代。這個時候，當務之急是給自己也弄一塊。不管是不是要「信大義於天下」，也不管那個「光復漢室」是真是假，沒有根據地，都是扯淡！於是慫恿劉備搶奪他本家兄弟劉表和劉璋的地盤，荊州和益州，搶了這兩塊地盤，就有了立腳的根據地，那樣才能和曹操、孫權稱兄道弟，分得一杯羹。

這個方案很不錯，但有意思的是，諸葛亮明明知道劉備講究忠義慈孝，卻偏偏讓他去搶奪自家兄弟的地盤，除了曹操和孫權已成氣候，想搶也搶不來以外，還有一個更重要的原因。那就是荊州和益州都是他劉家皇族一脈在統治，這裡的文化土壤很有利於劉備的思想意識生長。這本身就是對劉備的一個巨大諷刺，忠而不忠，孝亦不孝，諸葛亮的奇智，最終還是讓劉備這棵野草，長在自家的墳頭上。

我們再看劉備的態度，雖然嘴上表示，荊州和益州都是他本家哥們的地盤，不好意思搶奪，但心裡早已接受了諸葛亮為他打好的如意算盤。於是打定主意，非要吃掉劉表和劉璋不可，所以力邀諸葛亮出山相助。

有人可能很看重劉備三次請諸葛亮的過程，以為是劉備的誠心打動了諸葛亮，才會讓他不好意思推辭。其實要我看，不是這麼回事，諸葛亮既然有經天緯地之才，當然能看出誰能容納自己，信任自己，他其實早已看好了劉備，所以早早就為此設下了棋局，單等劉備來入局。他擺出足夠的高姿態，端出大架子，不過是為了增加自己的籌碼，抬高自己的地位，以便在劉備那裡獲得更大的主動權。

在當時的英雄豪傑當中，除了劉備，還真沒有適合他諸葛亮施展才華的合作夥伴，袁紹、劉表、劉璋就不用說了，孫權雖然禮賢下士，廣招天下人才，可是他有周瑜，一山難容二虎。曹操剛愎自用，恃才傲物，而且尤其不能容忍智力水準超過他的文人儒士，他用而不親，不能誠心相待，像諸葛亮這樣的大才，當然不能容下。

唯有講究忠義慈孝的劉備，最能容忍諸葛亮的大智，因為只要從精神上征服了劉備，那麼整個劉備的隊伍，就全部能夠為自己服務，任憑自己驅馳了。所以，諸葛亮早有預謀，精心策劃，自己導演了一幕劉備三顧茅廬請自己出山的大戲。在這一點上，諸葛亮還真能與姜子牙一比高下了。

劉備請到諸葛亮，不僅弄明白了自己的發展方向，知道下一步的路怎麼走，重要是完善了自己的力量，德義勇智，融合一起，使整個領導團隊，由此完成原以單純的武裝力量，轉向充滿智慧的政治集團跨越，真正成長為一支生機勃勃的政治生力軍。

羅貫中把劉備三顧茅廬而進行的《隆中對》，當成精華部分來鋪排，顯然他很崇拜諸葛亮的智慧和才氣。僅為了襯托諸葛亮的隱士不隱之情，就幾次寫到諸葛的朋友、相鄰不停地大聲吟誦隱居之志的歌謠辭賦，這很顯然是一種作勢。如果諸葛亮真的想隱居山林，老死不與俗世往來，那他就沒必要讓人們抒發這些治國濟世的雄心壯志和抱怨之聲了。更沒必要給自己取個「臥龍先生」的名號了。可見諸葛亮是不會讓自己埋沒一生的，所謂隱，不過是為了引出更大的買家罷了，為自己才華賣個好價錢。這是古代所謂文人雅士常用的一種以退為進的策略，只不過諸葛亮策劃的更好，更有效果而已。

隆中對畫出的三個燒餅，其中一個，是諸葛亮為自己畫的。

政治就像投資，風險時時刻刻存在。蝸居在新野縣城的劉備用他的堅持和誠意感動了諸葛亮出山相助，進而讓自己的事業出現轉機。

諸葛亮何許人也？在隆中農村，可不僅僅是一個小有名氣的讀書人。諸葛亮迎娶了一位醜到相當程度的媳婦黃氏，使得鄉間盛傳「莫學孔明擇婦，止得阿承醜女」。見慣漢宮美女的劉備為什麼會甘冒被黃臉婆驚嚇的危險，一而再再而三地求見一介布衣諸葛亮呢？因為諸葛亮才華出眾？這只是表象。真正的原因是：拜訪諸葛亮能給劉備帶來巨大的現實利益。

從歷史的經驗看，世族子弟和政治家的婚姻不應該只是普通的夫妻結合。很多野心勃勃、雄心壯志的人都將婚姻做為鬥爭、發展的工具。而諸葛亮娶醜陋的黃臉婆黃氏是其發跡的關鍵，黃家門第顯赫，在荊州的地位舉足輕重。另外，諸葛亮的姐姐也都嫁給了荊州的大族。他的大姐嫁給了荊州蒯家的蒯祺，他的二姐嫁給了龐德公的兒子龐山民。

我們現在來看看諸葛亮的人際關係網：叔父諸葛玄是劉表的舊友；大哥諸葛謹在東吳任官；沔南名士黃承彥是自己岳父；主掌行政的蒯家是大姐的婆家，掌握軍權的蔡瑁是自己的妻舅；龐家是二姐的婆家；與諸葛家世交的劉表因為娶了蔡家的女兒，親上加親成了諸葛亮的表舅舅。如此的社會關係網，隨便炫耀一下都可能嚇到一打「躬耕南陽的布衣」。寫到這裡，聰明的讀者就不難看出，為什麼說「臥龍，鳳雛，得一可安天下」了。當然了，「安天下」說得誇張了點。但是將諸葛亮延攬入自己的陣營，劉備在荊州肯定能吃得開。

三顧茅廬，諸葛亮出場，是《三國演義》的重要章節，作者如此花力氣描寫，不僅僅是構置懸念吸引讀者注意，更是一種政治取向和道德高度的價值宣示。三國裡，在弄權方面，曹操是第一好手，同樣，在用智方面，諸葛亮不愧為第一謀士，無人能出其右。他們兩人善惡對峙，正邪較量，貫穿全書，一個以「寧人負我，我毋負人」的殺戮開場，滿紙血腥，一個以「鞠躬盡瘁，死而後已」的忠誠終結，萬古流芳。所以，羅貫中濃墨重彩，不惜工本的描寫，就是要在讀者心目中將諸葛亮高大的形象樹立起來。

# 火燒連營：不聽兄弟言，吃虧在眼前

火燒連營這一慘案的導火線，是關羽被東吳的人砍了腦袋。劉備不聽諸葛亮勸阻，執意為結義兄弟報仇，在天時地利人和，任何客觀條件都不具備的情況下，貿然去攻打吳國，最後結果悽慘。這一慘案的發生，直接要了劉備的小命，導致西蜀政權逐漸衰微。

劉備成也忠義敗也忠義，因為忠義而得捨生忘死的勇士，又因為忠義而喪失理性，魯莽行事，自毀前程。很難說劉備為關羽報仇心切是對還是錯，一個人確立了一種人生原則，要想維護這種原則嚴肅性，獲得人們認可和支持，就要堅持到底。無論在什麼情況下，發生了什麼事情，都要為這種原則做出最大的努力，哪怕犧牲自己的利益。

劉備成就事業的基礎，就是一個義字，他早就說過，女人是衣服，兄弟如手足，衣服可以換，手足不能斷。可見在劉備眼裡，關羽和張飛兄弟的地位要比他的幾個妻子重要得多，所以關羽被東吳所害的大仇，劉備想不報都不行。如果不為關羽報仇，勢必會為天下人恥笑，失去賴以生存的道德基礎，箭在弦上，不得不發，明明知道此時伐吳凶多吉少，但也只能硬著頭皮上了。

諸葛亮當然深知劉備的難處，所以他雖然多次勸阻，但也沒有徹底反對。他在這件事上，也有自己的想法和私心，首先他知道劉備無論出於公心還是私心，都必須這麼做，如果他過分勸阻，必然會引起劉備的反感。其次，由於諸葛亮殫精竭慮的謀劃，將士們齊心協力的打拼，劉備在益州的地位逐漸穩固。但赤壁之戰後就很少看見諸葛亮的身影了，劉備對待他也沒有原來那麼真誠和重視了。率軍入蜀，劉備身邊的人是龐統；進攻漢中，劉備身邊的人是法正，諸葛亮給人的感覺好像是已經「退居二線」了。此刻劉備伐吳為關羽報仇，正是諸葛亮想讓劉備重新重視自己的好機會。

諸葛亮深知劉備伐吳必敗無疑，所以他必須勸阻，這樣失敗了沒他什麼責任。他又不能真的勸阻，只有劉備吃了敗仗，才能收斂驕奢自滿之心，認識諸葛亮的重要性。在劉備吃了敗仗的關鍵時刻，施以援手，這樣劉備才能對自己感激涕零，重新樹立自己的威信，鞏固自己的地位。一石三鳥，諸葛亮當然會表現得既無奈又傾全力支持。

由於劉備犯的一個常識性錯誤，命蜀軍在山林中安營紮寨以避暑熱，這讓東吳的陸遜鑽了個空，一把大火，燒毀了自己一生的心血。陸遜這個人很有軍事才華，但因為是孫策的女婿，往往被人誤解，以為是裙帶關係才當上大官，沒有什麼真才實學，直到吳蜀為爭奪荊州發生衝突，才嶄露頭角。陸遜火燒連營的成功，更是決定了猇亭之戰蜀敗吳勝的結果。

羅貫中演繹這個火燒連營的傳說，對劉備領導的蜀國來說，是一個極大的諷刺。蜀國基本是靠奇謀來打開局面的，沒想到用了那麼多高明的計謀，打了一個又一個的勝仗，結果連起碼的安營紮寨常識都搞錯，被陸遜的一個小小的計謀所算計。

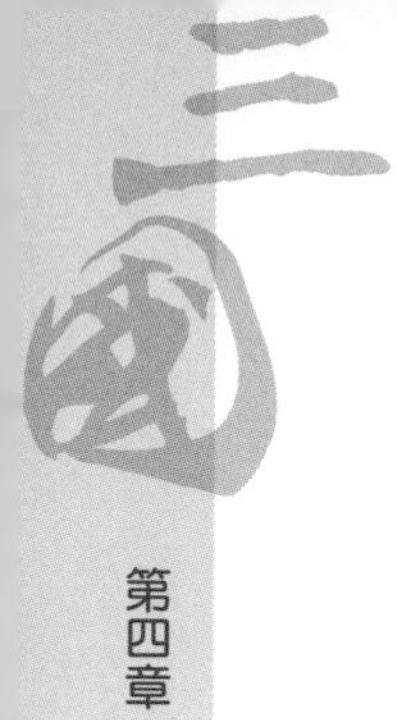



火燒連營的故事本身，沒有多大的戲劇性，劉備馬上征戰一生，歷經大小戰役無數，雖然算不上一個頂尖的軍事高手，但也不是笨蛋一個，這次他做出如此愚蠢的排兵佈陣，不是犯糊塗了，就是羅貫中故意給他的一個難堪。把部隊營盤紮在密林裡避暑，這在古代的軍事家眼裡，無異於開玩笑。這樣的基本常識，沒有人會相信劉備不懂，唯一能解釋的原因，就是羅貫中為了表現劉備報仇心切亂了心智，故意隱瞞了事實真相，虛構出來的故事。

火燒連營可以有，但真相如何，就有待於人們慢慢考究了。從火燒連營對三國影響的意義來看，影響非常重大，沒有火燒連營，就沒有劉備的一命嗚呼，就沒有白帝城託孤，也就沒有諸葛亮後半生眾多精彩的表現了。這次慘案，是諸葛亮人生重大的轉捩點，除掉了劉備，他就可以大模大樣地走上前臺，同時，關羽和張飛也已經不存在了，這就為諸葛亮獨攬大權掃清了道路。可以這麼說，火燒連營是諸葛亮藉助東吳的大火，燒去了橫亙在自己人生道路上的最後一道屏障，踢開了最後一個絆腳石。

綜觀羅貫中筆下的《三國演義》，貌似以劉備為代表的忠義慈孝力量的興衰為主要線索，但實際上，卻是展示諸葛亮憑一人之力硬生生從曹操和孫權的夾縫中創造出一個國家的傳奇人生。火燒連營之後，西蜀忠義慈孝的文化基礎，開始全面瓦解崩潰，取而代之的是諸葛亮的智謀治國。這一看似無所謂的轉變，其實已經改變了蜀國的性質，無論諸葛亮有怎樣的奇才大略，都註定了蜀國的滅亡。因為一個國家的命運，不是靠一個人的智謀能決定得了的。

# 臨終託孤：這個遺產歸你了

白帝城託孤，對於西蜀、劉備、諸葛亮、劉禪，以及三國，都有非常重要的意義，之所以重要，其實是在決定一個國家的命運。臨終前的劉備，心情肯定極其複雜，面對最信任也最危險的諸葛亮，他要說的話不知道斟酌了多久。他知道他的話說出口，他的兒子和他的國家，都可能發生大變化。

這樣的處境，處理這麼重大的事情，確實需要政治智慧，劉備最後的表現，確實可圈可點，稱得上老奸巨猾，爐火純青了。首先他表示出最大的誠意，「劉禪不成器，做不了大事，如果你不嫌棄，國家的行政大權就交給你了，由你來當家。」諸葛亮聽了這話，當然清楚這明擺著在敲打他，不由得自己不表現出高風亮節，全力推辭，並且要極力表達自己對劉備的接班人劉禪的忠心，豁出老命也要全力輔佐劉禪，讓他過上幸福的生活，請劉備一百個放心。

劉備當然就等諸葛亮這句話，不管他的態度是真心的還是假意的，劉備都會趁熱打鐵，就坡下驢，話題一轉說，「我對劉禪太不放心，把他託付給你我才放心，如果你覺得他不是當皇帝那塊

料，直接取而代之就是。」這千古一託，實在是高，諸葛亮就算心裡還有二心，也不敢違背這一囑託，不僅硬著頭皮接了下來，還要感激涕零，千恩萬謝劉備的信任。最後劉備反思了自己討伐東吳的過錯，他說：「朕早聽丞相之言，不致今日之敗，今有何面目復回成都見群臣乎？」此時，明白了，清醒了，也悔之晚矣！不過，劉備比起那些死也不認錯的人，要強得多了。

期間還有一個細節是，劉備託孤時發出的遺詔上面寫著「內事問諸葛，外事問李嚴」。也就是將政治權力交付諸葛亮，將軍事權力交與李嚴掌管。時值亂世，軍權比政權重要是人人皆知的。可見劉備還是從心裡防著諸葛亮。

說到李嚴，讀者馬上會想到一件事，諸葛亮北伐，李嚴因「運糧不濟，貶為庶民」。由此可見，政治鬥爭並沒有所謂的君子，諸葛亮也是如此。

劉禪在諸葛亮的扶持下當上皇帝時，才十七歲，雖然屁股坐在了皇帝的龍椅上，但是嘴巴還是從前的嘴巴，甚至還不如他爹活著的時候自在。諸葛亮對他要求太嚴厲了，不能亂說亂動，一點也不好玩。白帝城託孤，從另一個角度來說，劉備也是把他的兒子劉禪，變成了諸葛亮的傀儡。如果劉禪不當皇帝，可能會自由自在地過日子，不至於弄個樂不思蜀的笑話，所以說，皇權這東西，並不是對每個人來說都是好東西，都會帶來榮耀和幸福。

不管劉備把皇帝的印信交給誰，實際上皇權都落在了諸葛亮的手裡，這正是諸葛亮一生所為之奮鬥的。他不稀罕皇帝的職位，但他卻在意皇權的力量，因為有了皇權的力量，才能充分施展他的才華，實施他的智謀，表現他的價值。皇帝的稱號對諸葛亮來說，是個圖名不圖利的角色，所以樂不得有個人頂在前面，當他的擋箭牌和遮羞布。白帝城託孤，恰恰正合他的心意，他沒有取而代之的必要。

白帝城託孤，是《三國演義》的分水嶺，老一輩的英雄除了孫權和諸葛亮，幾乎都退出了歷史舞臺。曹操的兒子曹丕，堂而皇之地廢了漢獻帝，自己當了魏國的皇帝，劉備當了幾天皇帝，也一命嗚呼了，只剩孫權，一會兒投降魏國，一會兒又自封皇帝，自個跟自個逗著玩。

從這以後的天下，再也沒有曹操、孫策、劉備、袁紹、周瑜等人在世時的大開大闔，波瀾壯闊了，有的只是歪門邪道，陰謀詭計。首先從氣勢上，就失去了英雄的豪邁，變得猥瑣小氣，陰暗卑鄙。其次在場面上更是小打小鬧，沒有了悲愴和雄壯之感。

從三顧茅廬、赤壁大戰、借荊州佔益州，直到關羽走麥城，張飛被害，火燒連營，都是在為劉備白帝城託孤做著鋪墊工作。當他的左膀右臂都失去的時候，也只好把自己辛辛苦苦弄來的皇權，乖乖地交給了潛伏在身邊的臥龍先生。從此，蜀漢開啟了諸葛亮時代的序幕。

## 出師表：有決心還得表一表

諸葛亮其實裝得幾乎騙過了蜀國所有人的眼睛。說他裝，是說他裝清純和裝忠誠。首先，諸葛亮裝隱士，從他到南陽那一刻起，他就從來沒想過隱居，只不過是以隱求顯，以退為進罷了。後來跟隨劉備出來混，不僅得隴望蜀，還以忠誠之心換得了西蜀實際的控制權和領導權。為了使自己的忠誠達到一個更完美的境界，在他想找曹丕作戰的時候，又拋出了一篇轟動天下的精華文章《出師表》。此文一出，諸葛亮的忠誠可以說達到了登峰造極的地步。這一作秀前無古人後無來者，天下再也沒有人比他裝忠誠裝得更感天動地，為此賺足了百姓們的眼淚。

諸葛亮雖然有經天緯地之才，有安邦定國的雄心壯志，但他還有一個優點，就是從來沒有想過自己要當皇帝。能把忠誠做到這個份上，確實不是一般人能做得到的。有了這樣的背景，我們看《出師表》，字裡行間的那種殷切，才感人至深，令人動容。

其實整篇《出師表》寫的還是挺有意思的，不但條理清晰，文辭流暢，情真意切，重要一點是多種筆法的綜合運用。開篇就介紹天下大勢，用的是春秋筆法，接著是分析蜀漢國內政治現狀，朝廷的運作狀態，高官們的能力水準和工作態度等，用長輩安排晚輩的口氣，教導劉禪應該怎麼做，這是一種家信的筆法。然後筆鋒一轉，來了個自我介紹，並表明了自己永遠忠誠於蜀漢的決心，一看就知道是一篇決心書。同時大力講說著先帝劉備對自己的信任，目的也很明確，就是告訴劉禪，我之所以這麼做，並不是我願意這麼做，是你爹信任我，把大事託付給我，我沒辦法，不能辜負了他的一片好心。前面那些話無論多麼高屋建瓴，循循善誘，信誓旦旦，都是鋪墊，最後一層意思才是他真正要表達的東西。

《出師表》顧名思義，就是想率領部隊出門打仗，請求皇帝批准的奏章。繞了一大圈，說了那麼多廢話，目的只有一個，請求皇帝批准他率領部隊去討伐魏國。

本來，諸葛亮也不用費力氣寫這個請示文，直接率領大軍出征就是，他有這個權力。但他是個聰明人，可不想落個欺君罔上，驕橫跋扈，不把皇帝放在眼裡的惡名。真誠地請示皇帝，得到皇帝的批准和支持，不僅名正言順，而且能贏得皇帝的信任和普通百姓的大力支持。

諸葛亮看重的並非是權力的榮耀，而是想利用權力實現自己的鴻圖大略，這樣的人生觀，使他的行為，顯得大公無私，很容易得到人們的理解。這種真誠態度下出臺的《出師表》，其殺傷力和感染力，當然會非常巨大，不僅劉禪為之感動，整個蜀漢都為之群情振奮，這正是諸葛亮想要的效果。

《出師表》一發布，就是對曹魏的宣戰書，也是諸葛亮開始完全按照自己的人生規劃，按照自己的意圖，實現自己的人生理想的開始。在此之前，諸葛亮其實一直是在幫助劉備實現劉氏理想，雖然充分展現了自己的才華，但畢竟是為他人做嫁衣裳，很多事情，並非出自自己的意願，而是被動而為。

劉備的大半生，基本是在被動挨打，到處尋找落腳之地的狼狽之中度過的，沒過幾天安生日子，更別說實現自己的理想了。而在劉備死後，諸葛亮控制蜀漢大權時，情況已經完全發生了改變。這個時期，三國進入相對穩定和平靜的狀態，彼此的征討逐漸減少，蜀漢得到了休養生息的機會。經過幾年的發展，諸葛亮認為自己已經有實力滅掉曹魏，實現自己的人生理想。於是發表了《出師表》，開始了匡扶漢室，恢復舊日漢家江山的驚人之舉。

諸葛亮做為一位「鞠躬盡瘁，死而後已」的千古人臣典型，我們對其人格的偉大，所產生的景仰心理，是一回事；但從他堅持錯誤的北伐政策，而導致蜀國過早地敗亡，則是另外一回事。

僅憑蜀漢當時的政治軍事實力，真刀真槍地和曹魏硬碰硬，根本不是曹魏的對手。諸葛亮完全是逆天而動，妄圖憑藉一己的智慧，擊敗強大的曹魏，這種膽略當然值得敬佩，但行為並不可取，結果必然是勞民傷財，無功而返。

審時度勢，量力而行，是一個政治家必須具備的素質。可是諸葛亮一不顧國力強弱，二不顧民心向背，三不顧敵方虛實，四不顧周邊環境，就向曹魏挑戰，實屬貪功冒進行為。就像所有好大喜功的領袖一樣，因冒進而吃到了苦頭。而吃了苦頭還繼續冒進，再吃更大苦頭的人當屬諸葛亮了。所以，在第二次上表時，甚至連阿斗也勸他了：「方今已成鼎足之勢，吳魏不曾入寇，相父何不安享太平？」阿斗這句話說到重點上了，雖然他的出發點並不是正確的。可惜他是個傀儡皇帝，說話根本不算數。凡領袖群倫者，一旦成為人譽自詡的濟世之才，便有一種功名慾，不朽慾，樹碑慾。諸葛亮也是這樣，他過於輕敵，過於急躁，想打開蜀國的封鎖局面，也是他過於相信自己萬能，過於追求不朽聲名的結果。

羅貫中對《出師表》的安排，也是獨具匠心的。雖然歷史上，這篇《出師表》確實出自諸葛亮之手，但在實際效果上，遠沒有羅貫中安排的這麼巧妙，這麼有殺傷力。《出師表》發表時，曹魏正為是否除掉司馬懿而爭的不可開交，蜀漢幾個頭腦清醒的大臣，也提出了反對意見，認為這個時候攻打曹魏，時機還不成熟，有些自不量力。但諸葛亮實在壓抑不住自己忍耐了幾十年的雄心壯志，力排眾議，一意孤行，開始了漫長的伐魏之旅。這樣一意孤行，置蜀漢於死地，恐怕是這個偉大人物的大錯了。

# 六出祁山：你看我表現多積極

諸葛亮六出祁山，討伐曹魏，並非完全因為要兌現匡扶漢室的承諾，那只是個藉口而已。真正的目的是他想學習姜子牙、張子房，展示一下自己安邦定國、經天緯地之才，建立一番鴻圖偉業。這樣的目的，使得諸葛亮過於自信和急躁，在並不具備絕對優勢擊敗曹魏的情況下，草率出兵，六出祁山不但一無所獲，最後還累死在伐魏途中，導致西蜀政權很快土崩瓦解。正是諸葛亮的雄心壯志，害得他並沒有真正實現自己的雄心壯志。

六出祁山伐魏，因為各種原因都沒有成功，這不是巧合，實在是時機不對，蜀漢的實力並不足以打敗曹魏。但說句實在話，如果不六出祁山，諸葛亮在蜀漢實在沒什麼事情可做，那時候的魏蜀吳三國，都進入了相對平穩發展期。諸葛亮如果自己不給自己找點事，那真就埋沒了自己的才華。

仔細看六出祁山的過程，每一次諸葛亮都有不同的表演。第一次出祁山，收服姜維，痛失街亭，揮淚斬馬謖，空城計，好戲連續上演。第二次是圍陳倉，二十多天沒有打下來，只好撤兵。第三次大雨幫諸葛亮守住漢中。第四次，司馬懿堅守不出，想拖垮諸葛亮，結果李嚴沒有即時運來糧草，就假傳聖旨，諸葛亮只好撤兵回國。第五次，諸葛亮聯合東吳一起討伐魏國，並裝神弄鬼，偷偷割了隴上的小麥，造木牛流馬運送糧食，準備長期與司馬懿周旋，後來東吳撤兵，諸葛亮只好孤身奮戰，累死在五丈原，死後還用自己的桃木像嚇退了司馬懿。六出祁山，實際上用兵五次，另一次並非諸葛亮所為，也算到了他的頭上，所謂六六大順，大概是圖個吉利吧。

諸葛亮正式主持蜀漢朝政後，除了七擒孟獲，穩定西南邊疆以外，主要就做了以上這些討伐曹魏的事。雖然沒有對曹魏構成什麼真正威脅，但也直接導致了曹魏政權落入司馬氏家族的手裡，使曹操和曹丕父子兩人辛辛苦苦掙下的家業，輕易就讓司馬氏搶了過去。諸葛亮之所以急於出祁山討伐曹魏，就是因為那時候曹丕剛死，曹魏政權內部鬥爭激烈，他以為有機可乘。如此導致了司馬懿被再次重用，重新手握軍政大權，有了搶奪曹家政權的資本。

六出祁山，也看出諸葛亮和劉備當家時期所採用的不同的戰略方針和政策。劉備的一生，除了逃跑就是防守，很少有主動進攻的時候，主動了一次，還被火燒聯營，賠上了小命。諸葛亮一旦自己能夠當家作主，立即採取轉守為攻的方針，主動出擊，制服孟獲，穩定後方，然後就出兵北伐，挑戰曹魏。

從客觀上說，諸葛亮六出祁山雖然勞民傷財，但也不是一點好處也沒有，首先震懾住了曹魏，使對方不敢輕易進犯蜀漢；其次佔領了漢中和祁山，等於扼住了曹魏的西大門，為蜀漢的安全，加築了一道最牢固的屏障。這大小也算諸葛亮對蜀漢做的一點貢獻，否則，實在找不出他這樣做可值得誇獎的地方了。

諸葛亮六出祁山的表演，完全是個人謀略詭計的盤點，是對劉備留下的忠義慈孝皇權力量的徹底清算：逆天時而動，為個人功名而妄動干戈，失去了德；不聽忠良的勸告，一意孤行，失去了義；勞民傷財失去了慈；苛責部下失去了善。到此為止，蜀漢立國的文化根基，基本上都被清理乾淨，取而代之的是諸葛亮的智謀法度，而一旦他撒手歸西，蜀漢大地就會成為政治文化的真空，自然無法抵禦強大的皇權政治的衝擊。

# 妙手回春也救不了自己

第五章

# 三國鬥法之關門捉走狗

——灌水殺人都好玩

# 孔融讓梨：讓誰大梨，就是讓誰出局

建安七子裡，孔融被排第一，他是聖人孔子的後代，老家在山東曲阜。在他四歲時，就因為千古一讓，一舉成名，天下盡知。

那麼，孔融千古一讓讓的是什麼呢？就是讓了一顆梨。他的爹娘分給他們兄弟幾個每人一顆梨吃，四歲的孔融很懂禮貌，就主動把個大的梨讓給哥哥吃，自己吃小的。這一舉動，得到人們一致的讚揚和好評，一下子就成了遠近皆知的名人。

孔融有了好的名聲，就不能再由著自己的性子來了，只能高標準嚴格要求自己，刻苦讀書，長大後做一名大儒，學習好還能當大官。董卓篡政的時候，學業有成的孔融在北海郡當了太守，他聽說曹操發布了檄文，號召大家一起去討伐董卓，就帶領自己的軍隊，參加了討董聯軍。後來經劉備的推薦，做了青州的刺史。袁紹派他兒子攻打青州時，孔融扔下妻兒，一個人逃了出來，投靠了曹操，繼續在政府當官。

孔融從小就愛慕虛名，長大了更是相沿成習沉屙難除，他寧願掉腦袋也要留個清名在人間，是一個道道地地的腐儒。自從投奔了曹操，孔融就成了曹操招賢納士，籠絡人才的花瓶，一直以敢於進諫的諍臣自居。

不僅如此，在曹操底下，孔融立刻過起了「座上客常滿，杯中酒不空」的生活，在許昌這個當時還能享受平靜的地方，開始指點江山，辱罵世人。曹操為了維護自己惜才愛才的形象，大多時候都容忍了孔融的迂腐和嘮叨，任其口誅筆伐，聒噪指責。可是後來種種跡象表明，孔融最大的樂趣，好像就是和曹操過不去。

建安十二年曹操頒佈了禁酒令，這讓奉行「杯中酒不空」主義的孔融率先嚷嚷著反對，還寫了一封題名為《難曹公表制酒禁書》的信，在信中他先是大談一通天有酒星，地有酒泉的歪理，繼而又露骨地譏刺道：「暴君桀、紂皆以色亡國，你何不乾脆把婚姻也禁了。」曹操被氣了個半死，不過最終還是沒有難為孔融。

然而孔融依舊不知收斂，繼續尋找向曹操發難的機會。在曹操北征烏丸時孔融便大加嘲諷，待曹操大軍攻下袁紹的老巢鄴城，虎賁中郎將曹丕將袁紹的兒媳甄氏納入懷中時，孔融再次給曹操寫了一封信，說什麼「當年周武王伐商紂王時，曾將紂王寵妃妲己賜給周公。」這一新鮮的典故把曹操弄迷糊了。

想到孔融學識豐富，便虛心請教，孔融卻緩緩答道：「以今度之，想當然耳。」杜撰一個不存在的史實，來挖苦他人，孔融在諷刺藝術上確實造詣不淺。這種挑釁的態度，最終將曹操的涵養逼向了極限。

建安十三年八月，隨著一道《宣示孔融罪狀令》的頒行，五十七歲的太中大夫孔融被押赴市曹，就地處決，其家族也慘遭株連。孔融有兩個兒子，曹操派人去抓他們的爹時，兩個小朋友正在下棋，有人問他們，你爹被抓走砍頭了，你們為什麼不逃跑？兩個小朋友的回答非常有氣魄，「覆巢之下安有完卵？」大義凜然，視死如歸，比他們的老爹還牛氣。

伏了刑，曹操還不甘休。在告知全國的文告中，說孔融大逆不孝，竟在大庭廣眾中宣傳，說一個人對他父母不應承擔什麼責任。母親不過是一個瓶罐，你曾經寄養在那裡而已。而父親，如果遇上災年，你有一口飯，也不必一定給他吃，也可以去養活別人。這樣一來，曹操不僅把孔融打倒，還把他徹底搞臭了。

孔融這個人，學問很大，政治上並不十分成熟；勇氣可嘉，鬥爭經驗卻相當缺乏。他天真地認為自己可以運用道德和輿論的力量來抗衡曹操，其實不過是和人家玩了一次以卵擊石的危險遊戲。文人是永遠玩不過政治家的。論凌空蹈虛，大言無狀，誰也奈何不了孔融，而一旦比拼具體的統治才能，則又誰都不會買孔融的帳。所以孔融也只能當個政治花瓶。

羅貫中在描寫孔融時，還是對他充滿敬意和讚美之情的。同時也對孔融進行了一些美化，對曹操進行一些貶損。我們不去考究真實的孔融是怎樣的一個人，但在《三國演義》裡，他是一個大儒，是一個有氣節和骨氣的飽學之士，可是除了襯托出曹操的大奸大雄外，卻給人一種不識時務，不知順應時勢，一味酸腐愚忠的感覺。

這也不怪孔融，要怪就怪他的老祖宗創立的什麼儒家學說，是這一迂腐的思想害死了他。儒家

那一套，和平時期愚弄一下平民百姓，讓他們服服貼貼接受統治還可以，戰亂時期，若用來收買民心，聚積戰爭力量，就會變得一無是處了。

孔融小時候能讓梨，長大了卻不知道讓人，完全是被他祖先流毒給毒害的，把一個識大體，聰明伶俐的小朋友，灌輸成了教條死板、不識時務的書呆子，不僅賠上了自己的小命，還株連到了兩個兒子。孔融的死，是他自己害死了自己。

孔融這樣大儒，生在亂世之中，當一個隱士，不甘心，當一個忠貞諍臣，又不容於世。生不逢時，也無可奈何，只能接受拋屍街頭的命運。他的命運，其實就是儒學在亂世時期的命運真實寫照。

# 楊修雞肋：食之不無味，棄之不可惜

說曹操這個人胸襟寬廣，善納人才，確實不完全是裝出來的。劉備、關羽、徐庶、孔融、禰衡、華歆、楊修等一些有才能的人，都被他傾心挽留和重用過。其中楊修是最有意思的一個，他不像孔融那麼愚，那麼固執，但太愛表現自己，最終招來殺身之禍。他的死，在於過於表露了自己的聰明，正應了那句聰明反被聰明誤的老話。

一個人聰明可以，但不能炫耀聰明；雖然有時候炫耀聰明也沒什麼大不了，但不能選錯地方。楊修不僅愛賣弄自己的聰明，還常常選錯地方。他被砍掉腦袋之前，做了七件自以為聰明的事情，逐漸引起曹操的厭惡和殺機。第一件是闊字門，第二件是一盒酥，第三件是夢中殺人，第四件簏藏吳質，第五件鄴門試子，第六件答教應對，第七件就是雞肋事件。這七件事，楊修憑藉自己的聰明，全部猜出了曹操的心思，置曹操於不尷不尬的境地，終於讓曹操忍無可忍，生出必除之而後快的念頭。

把楊修放在三國的背景裡看，這樣的人物還是蠻有趣的。楊修聰明是聰明，可是他把所有的聰明都用在了揣摩曹操的心思上。他在曹操那裡做的七件事，沒有一件能對曹操的事業有所幫助：揭穿夢中殺人真相，曝光曹操的隱私，等於破壞了曹操好不容易樹立起來的一點仁德形象；雞肋事件揭開了曹操的內心隱密，別說是一個統治者，即使普通人也不願意讓人觸到痛處。這種輕薄行為，當然是自己找死了。

簏藏吳質、鄴門、答教三件事，使楊修介入到了宮廷最高權力分配的鬥爭漩渦中，真正引來了殺身之禍。這也說明他實際上是一個最不識時務的聰明人，錯誤地估計了形勢。楊修認為曹操愛才，有可能傳位給次子曹植，加上自己與曹植惺惺相惜，就義無反顧地加入了曹植一黨。其實，對中國的統治者來說，每當接觸到實際的繼承問題時，所謂的「才」，絕不是首先考慮的條件。如何保持這個政權，才是第一位的選擇標準。

三國時猛將如雲，謀臣如雨。曹操更是以愛才聞名天下，他禮遇關羽，厚待徐庶，並且放走將自己罵得狗血噴頭的禰衡，如此胸懷博大的人之所以殺了自己的隨軍主簿楊修，是因為楊修自己送死。

一，面子問題：曹操做為一個首領，要的是大的面子，而楊修偏偏不只一次地讓他沒面子。曹操本想在手下面前露兩手，抖幾個包袱，變幾個戲法，可是楊修卻提前把謎底說了出來，這讓曹操總覺得背後有一雙揣測的眼睛盯著自己，甚是不爽。和領導相處要仰視，不要平視，楊修則是俯視，這簡直就是要命的小聰明。

二，裡子問題：曹操拼死拼活打天下，要的就是給子孫留一個豐厚的基業，所以接班人的問題就成了重中之重。楊修不識時務地介入了曹操的家事，屢屢干擾曹操的視線，害的曹操權衡、審查、考驗都化為泡影，他能不急眼嗎？

三，其他問題：曹操廣納人才，需要的是治國安邦的大才。清談，耍小聰明為曹操所不齒，楊修就在此列。再者，楊修說話辦事也沒有真正從曹操的立場出發。端了老闆的飯碗，不辨老闆喜歡的事，還隨意暴露老闆的隱私，不被殺掉才奇怪呢。

直到今日，很多人都會為楊修之死感到憤憤不平，惋惜楊修之才，痛罵曹操的殘忍。其實，這還真冤枉了曹操，楊修是一個非常不知趣的人，既沒有政治眼光，也沒有政治謀略，更缺乏政治鬥爭的手段，除了炫耀自己的小聰明之外，於事無補。對於這樣一個攪局者、添亂者，如果不及早除掉，早晚會惹出更大的麻煩。

羅貫中寫楊修之死，大概有兩個目的，一是楊修這個人很有個性，寫出來很好玩，為大家增加點樂趣。同時要大家引以為戒，不要像楊修那樣狂妄輕浮，放縱不羈，最終自尋死路。二是為了給曹操抹黑，揭露他嫉賢妒能，殘忍嗜殺的本性。其實，他對曹操的偏見是非常嚴重的，所以在對待楊修之死這件事，態度一點也不客觀，並沒有站在公正的角度和立場上。雖然一般的讀者容易被誤導，對曹操產生反感，但稍微用心就會發現，楊修不僅該殺，而且已經殺晚了。如果不是羅貫中的補充交代，楊修在《三國演義》中上鏡的機會並不多。從他的實際作用來說，還真是一個雞肋的角色。

# 管寧割席：分床了就別來找我

管寧在《三國演義》裡並沒有直接現身，他的名字是被華歆給牽扯出來的。提起華歆就離不開管寧，沒有管寧的正面君子形象，就顯現不出華歆反面小人的嘴臉，這樣一對比，就把管寧推上了三國的大舞臺。

相傳，華歆、邴原、管寧一起到外地讀書，關係非常密切，被人譽為「三人一龍」，也就是說，這三個人加在一起就是一條龍，華歆是龍頭，邴原是龍腹，管寧是龍尾。三個人之中，管寧和華歆關係好像更為密切一些，關於兩人的故事，也就更多一些。

管寧在《三國演義》裡，真正是一個傳說，只聽其名，未見其人。他是道道地地的隱士，不像諸葛亮那樣以隱求進，說不求文達於諸侯，其實就是為了建功立業，揚名立萬。管寧和華歆年輕時形影不離，後來由於彼此的人生觀、價值觀不同，兩人分道揚鑣。原因就是管寧固執又太認真，和他這樣一個食古不化的人交往太難了。

有一次，管寧和華歆在菜園裡鋤菜（不要誤會，不是偷菜，是鋤菜），看見地裡有一小塊金片，管寧彷彿什麼都沒有看見，繼續鋤地。華歆忍不住拿起金片看了看，然後才扔掉。華歆的這一舉動被管寧看在眼裡，記在了心上。

而在如我般的凡人眼中，但凡名士都有些小題大作。晚上，華歆提起那塊金片，語氣似乎有些惋惜。沒想到管寧卻淡淡地說：「何為金片？不過是顏色不同的碎瓦爛石罷了。」透過這件事，人們對管寧大加表揚，對華歆卻表示不屑。這種態度，一直令我無法理解，看來看去，也沒看出華歆有什麼錯，他又不是去偷金子，只是動了動心，就被看扁，有點太不人道了。雖然不能見利忘義，但也不能看到金子被埋也不管吧！用鋤金的事來判斷兩人道德品質優劣，還真是有點牽強附會，雞蛋裡挑骨頭的意思。

幾天後，兩人坐在一張席子上讀聖賢書。窗外一個有權勢的人，坐著華麗的馬車路過，華歆放下書，追出去看，管寧依舊目不斜視，照讀不誤。華歆回來後，發現管寧已把兩人同坐的席子割開，並提起一半席子丟給了華歆，生氣的說：「你已不再是我的朋友。」大概在每一個中國人的有色眼鏡裡，利和義總是相對的，追逐名利的人遭到各方面道德的責問。其實在每個人的內心裡，總有一種酸葡萄的心理。君子愛財，取之有道。只要行為是正當的，何必對別人的動機做道德審判。拿著道德去壓抑一個人本能的正當的想法，如同盧梭所言，是多數人對少數人的迫害。古人講究學而優則仕，如果沒有一點過好生活的想法，讀書還有什麼用呢？為讀書而讀書，那就成了書呆子了。

華歆雖然一生追求高官厚祿，但一直沒有忘掉他和管寧的友誼，曾多次向曹魏三代皇帝推薦過管寧，甚至希望把自己的官位讓給管寧，可見華歆這個人還是重感情的，不會因為無關緊要的人生看

法而忘情負義。在這一點上，我反而覺得，華歆要比管寧更有人情味，更像一個正常的人。

管寧，一生隱居鄉間，沒有出來當過官。不當官不一定是壞事，出來當官也不一定是好事，但當不當官，並不是判斷一個人品德高低的標準。管寧一輩子沒有出來當官，他所讀的書，所學的知識，一直沒有派上用場，基本上屬於學無所用那一類。古代所謂的學習，並不是像現在這樣，學習各種科學文化知識，那時候的學習，其實就是學習如何做人，做個什麼樣的人，至於用學習來改變命運，只有一條路，那就是出來當官。再加上管寧生不逢時，亂世之中，他所學的儒家那一套，根本派不上用場，所以走上另一條道路，那就是隱居，也就躲在鄉野民間，以求保住生命。百無一用是書生，管寧雖然人品德行受到人們的讚譽，但其消極避世的人生態度，就不值得敬佩了。在這一點上，反而是他看不起的華歆，更有一個知識分子的擔當，敢於犧牲，明知不可為而為之。

羅貫中對管寧採取隱居方式以保持「有道」的人生態度，還是很羨慕。從他在《三國演義》中貶曹抑曹的一貫做法來看，華歆變成了管寧的反面陪襯，原因無非是他為曹魏政權出了一輩子力，而沒有像管寧那樣，保持住所謂的氣節。

# 華佗身死：妙手回春也救不了自己

亂世出英雄，這話說的一點不假，在分裂征戰的三國時期，連江湖郎中都能成為名揚四海的大人物。華佗就是靠行醫躋身名人堂的，他最有名的行醫案例，莫過於為關公刮骨療毒了。不料想成也蕭何，敗也蕭何，華佗的死，也恰恰是因為他的醫術太高明，高明到讓人難以相信的地步，遭到曹操的懷疑，以為華佗想謀害他，結果殺害了華佗。

華佗是三國時期著名的神醫，這沒什麼疑問，尤其他發明的麻沸散，就是外科手術使用的一種麻醉劑，應該說是醫療史上的一大奇蹟。那個時期，人們平時有個頭疼腦熱的小病，大多是靠自身的抵抗力硬撐硬熬。實在病得厲害，也就是找郎中弄幾副中藥，喝喝了事，管不管用，聽天由命。能夠開腸破肚，進行手術治療的，華佗是第一人。

關於華佗精湛的醫術，還是透過華歆之口，告訴大家的，也可能都姓華，是一家子的緣故，華歆常常以華佗為驕傲，有機會就誇耀華佗的醫術如何了得。有一次，他向曹操吹噓的時候，引起曹操的興趣，當即派人請來華佗，為自己治療頭疼病。

我們看一下華歆是如何介紹宣傳華佗的。他對曹操說，「華佗醫術的高妙，世上無人能比：一般的病，他或者用藥，或者針灸，隨手就能治癒；要是五臟六腑有了毛病，吃藥不管用，就用麻沸散把病人麻翻，像喝醉酒醉死一樣，然後用刀尖割開病人的肚子，用湯藥洗一洗病人的臟腑，用藥線再縫好，多則一個月，少則二十天，病人就會恢復如常。如此神奇，如此玄妙，不服不行。」

正趕上曹操的頭疼病又犯了，他聽了華歆的吹噓，便急不可待地派人去請這位神醫。華佗來了以後，一看曹操的臉色，就知道病情。他對曹操說，「你的病根在腦袋裡，不是服點湯藥就能治好的，需要先飲『麻沸散』，然後用利斧砍開腦袋，取出『風涎』，才能徹底治癒。」

曹操一聽嚇壞了，大怒道，「你是不是想殺害我？」

華佗不慌不忙地說，「關公刮骨療毒，眼皮都沒眨一眨，你這點小病，怕什麼呢？」

曹操吼道，「胳膊疼可以刮，腦袋怎麼能砍開？你是不是想替關公報仇？」於是命人把華佗關進了監獄。當時有個大臣叫賈詡，他向曹操求情說，這樣神醫，世間少有，最好不要殺掉。曹操回絕說，「這個人跟大夫吉平一樣，是想利用為我治病的機會殺了我，不能輕饒。」

華佗在監獄裡，認識了一個獄吏，就對那個獄吏說，看來我是不能活著出去了，可惜我這一身高明的醫術沒法流傳下去。我看你人不錯，我家裡有一本《青囊經》，送給你了，希望你能把我的醫術繼承下來。這個獄吏趕到華佗家裡，要來《青囊經》，偷偷帶回家藏了起來。華佗死後，這名獄吏就辭職了，回到家準備好好學習華佗的著作，立志要當一名好醫生。誰知他剛進家門，看見他老婆正在燒《青囊經》，搶過來一看，只剩下最後幾頁，且都是些小技巧。華佗的高超醫術，就這樣失傳了。

華佗想把曹操腦袋劈開，結果弄丟了自己的腦袋。可見，再高明的醫術，也鬥不過權力，權力的野蠻，正是文明進步的殺手。我們不妨假設一下，如果曹操接受了華佗的治療，結果手到病除，曹操的頭疼病好了，歷史會不會改寫？如果華佗失手，弄了個醫療事故，曹操玩完了，又會是怎樣的結局？還有一種假設是，華佗沒有給曹操治病，曹操也沒有殺掉華佗，而是讓他繼續行醫，他高明的醫術後繼有人，得以廣泛流傳，那會出現一種什麼情況？當然，歷史沒有假設，很多文明的發展，就是在這種遺憾中曲折進行的。

華歆曾吹噓說，有一個病人眉間生一個大肉瘤，感到奇癢難耐，就讓華佗治療。華佗用刀割開那人的皮肉，只見一隻黃雀飛了出來。這簡直就是魔術，想讓人們相信都難。

當然，《三國演義》對華佗的渲染，有很大的誇張成分，特別是華歆對華佗醫術的吹捧，簡直到了神乎其神的地步，哪裡還是醫術，分明是妖術了。這種誇張，表面看似華歆在吹噓華佗的醫術，實際上是羅貫中藉此諷刺貶低曹操，從一個側面揭露曹操的多疑和殘忍。

# 曹植賦詩：想活命還得靠老本行

曹氏父子都很有才，尤其是曹操和他的二兒子曹植，都是有名的詩人。其中曹植的創作成就最為突出，而且因為會寫詩，還救了他的一條小命，這首詩就是歷史上名聲大噪，流傳千古的七步詩。

從《三國演義》裡看，曹植的命運很不好，除了壞在自己的才華上，還壞在了兩個人的手裡，一個是楊修，一個是華歆。人一有了才華，就容易恃才傲物，狂放不羈，不知道低調處事，結果招致人們的嫉妒，受到排擠和打擊。曹植就是如此，很小就顯示出了過人的天賦，深得曹操喜愛，同時也受到哥哥曹丕的嫉妒，為後來一再受到迫害，埋下了禍根。

他自己張揚點也就算了，還結交一些更為張揚的人，弄得沸沸揚揚的，尤其是和楊修交往甚密，成了人生中不可饒恕的一個錯誤。楊修是個自以為是，輕狂傲慢，又心性偏執的人，拜這樣的人為老師，學到的只是一些小聰明。鄴門事件、答教事件，都是楊修出的餿主意，才使曹植漸漸失去曹操的欣賞和信任，最終沒能在繼承人的競爭中獲勝，還差點賠上了自己的性命。

據說後來流傳下來的七步詩，也是經過後人修改的，原詩不是四句，而是六句。這件事我們就不必考證了，那是考據學家做的工作。《三國演義》中曹植的七步詩內容是：「煮豆燃豆萁，豆在釜中泣。本是同根生，相煎何太急？」含意也簡單明瞭，說的是豆粒和豆枝都是一個根上生出來的，燒豆枝煮豆子，為什麼相逼這麼急啊？如果不把這首詩放在當時特殊的歷史背景裡去看，實在是很平常，豆枝就是用來燒火的，豆粒就是用來煮著吃的，天經地義，有什麼可抱怨的呢？但是，一旦把這幾句詩放在曹丕和曹植兄弟兩人為了皇權進行你死我活的政治鬥爭現場，意義就非同凡響了。

本來曹操很看好曹植，有意把王位傳給他，可惜曹植一來性格張揚，二來被楊修給帶壞了，結果在和他哥哥曹丕的競爭中落敗。曹操死後，曹丕當了老大，曹植的苦日子就來了。這也怪曹植在政治上不成熟，親爹死了，他竟然沒有去奔喪，給曹丕留下了一個大大的把柄。

有一天，華歆提醒曹丕說，曹植不來奔喪，這是對你當老大心懷不滿，你應該早日把他除掉，以絕後患。曹丕聽了華歆的話，派使者去通知曹植。結果，曹植再次顯露出政治上的幼稚，他喝醉了酒，命人把曹丕派去的使者狠揍了一頓，趕了回去。這下把曹丕激怒了，派人帶兵直接把曹植捉了回來。多虧他娘為曹植求情，才沒有立刻要了他的命。

華歆又給曹丕出了個歪點子，讓他考驗一下曹植的詩才，如果水準很差，就殺了他，水準過關，就饒了他。曹丕和曹植是同胞兄弟，一個是評論家，一個是文學家，兩個人都想當帝王，為此爭得水火不容。不過還算走運，也許看在七步成詩的面上，哥哥最後還是給弟弟留了一條小命，把他官職降級，貶到外地去。

在中國歷史上，一個統治者登臺，必然伴隨著屠殺。開國之君如此，太平盛世父崩子繼者也如

此。最高權力的爭奪，從來都是激烈的生死較量。翻開史書，任何一位帝王，無一不是在殺戮的血風腥雨中，登上寶座的。曹氏弟兄的爭奪，不是第一個，也不會是最後一個。

羅貫中筆下的曹植，才華出眾，性格有點放縱，缺乏政治經驗，最終沒有鬥過心狠手辣、老謀深算的曹丕。自從曹操死了就一直不得志，雖然保住了性命，也難免鬱悶而死。羅貫中在寫這個人物時，可能是出於惺惺相惜的心理，帶有很強的主觀色彩，把曹植的失敗，完全歸咎到了曹丕的不仁不義和華歆的挑唆誣陷，目的不過是為了醜化曹氏父子的形象，對曹氏父子篡奪漢室江山的一種變相的討伐。

其實要從平民百姓的角度來看，曹植根本不適合當皇帝，就算曹操把帝位讓給了他，他也很難坐穩。因為他原本就不是從事政治的料，一身的文人氣。那些圍在他身邊的，也都是些不成事的文人墨客，可以舉觴詠哦，可以唱和愉悅，但若是放下筆桿處理政治的話，則十有九敗，鮮有成功者。

文人的悲哀，是常常認不清自己。藝術才華不等於政治才華，憑著一腔熱情和詩詞文章，是治理不了天下的，更鬥不過那些政壇上的老狐狸。

不是逗你玩的

# 第六章

# 三國鬥法之連環套犬馬

## ——舌戰群儒，不是蛇戰群鼠

# 蔣幹中計：不是逗你玩的

整部《三國演義》就是陰謀詭計的展示大全，幾乎所有的勝負手，都決定於計謀的高低。三十六計裡，除了逃跑為上策的計謀外，其他的計謀，要想發揮作用獲得成功，都要依賴一定的條件和實力。

如果過分地神話計謀的作用，往往會讓人生出投機取巧之心，最後聰明反被聰明誤。好在《三國演義》只是一個傳說故事，只要讀來有趣，引人入勝，那就達到了目的。

說到蔣幹中計，可以算三國裡寫得最生動、最有趣的一個計謀了。蔣幹是曹操手下的一個幕賓，相當於現在軍隊裡的一個參謀。

赤壁大戰前，他為了表現自己，自告奮勇要過江去勸說周瑜投降曹操，沒想到早被周瑜猜到了來意，當即將計就計，弄了一個反間計，讓蔣幹偷雞不成反蝕把米。結果讓曹操白白斬了自己兩員水軍大將，導致赤壁大戰敗北。

我們不妨回顧一下蔣幹中計的過程：話說周瑜在營帳中正與眾將議事，聞蔣幹來訪，當即猜到

他的來意。也許是周瑜對他的這位同學太瞭解，靈光一閃，想出了一個高妙的計策，並確信能夠輕鬆地實現自己的陰謀。接著，走出軍帳迎接蔣幹。只見蔣幹打扮得像一個世外高人，「引一青衣小童，昂然而來」。一見面，便問道：「公瑾別來無恙！」這一句話既是問候，又道出蔣幹與周瑜原有一番舊誼。

周瑜直接了當：「子翼辛苦，難道是為曹操做說客嗎？」蔣幹立刻裝作很「愕然」的樣子，說：「你我分別那麼久，我特來和你來敘舊，怎麼能說是當說客呢？」

周瑜笑著說：「雖然比不上師曠那麼聰慧，但聞弦歌而知雅意啊。」

蔣幹裝作很惱怒的樣子，說：「閣下待故人若此，我當告退！」

蔣幹心想，老同學你還跟我來這一套，於是裝作很有性格的樣子，轉身就要走，被周瑜攔住。之後周瑜大擺筵席，並禁止在席間談論曹操與東吳軍旅之事。談論之間，他先打消了蔣幹當說客勸降他的念頭。接著，故意裝作喝得酩酊大醉，趁機邀請蔣幹同床而眠，以表示對老同學的深情厚誼。

蔣幹沒有喝醉，不甘心就這樣空手而過，看到周瑜喝醉，於是劍走偏鋒，有了晚上偷聽、盜書等宵小行為。後來曹操果然中計，斬了水軍首領蔡瑁、張允。

所有的計謀都是矇騙，這一點不用懷疑。能夠矇騙對方的條件是要讓對方相信，贏得對方信任，蔣幹之所以能上他老同學的當，就是周瑜為了迷惑他下了足夠的本錢。

1、親身到轅門外迎接。此時周瑜身為大都督，上次曹操派使者前來是直接斬使立威的，而這次是親到轅門外迎接，給足了蔣幹的面子。

2、讓所有重要的將領在兩軍敵對的關鍵時刻什麼也不做，花一天的時間做三陪——陪吃、陪喝、陪跳舞。如果孫權混蛋一點的話，就衝這一條罪名就可以直接將周瑜砍了。

3、帶蔣幹遊軍營，看糧草重地，將營中虛實盡洩。如果蔣幹是間諜的話，這時候就可以圓滿完成任務回去覆命了。

4、裝醉，拔劍起歌，也就是在大小下屬面前跳舞。為達目的已經不在乎面子了，要知道，平時我們讓領導唱首歌總是很難的。

5、留宿中軍帳，任其半夜翻看軍報。裡面其他的軍報不可能是假的，應該是九真一假，才能更好的讓蔣幹中計，這本錢也下的不小了。

6、喝了酒，一晚上還不能睡覺。本來蔣幹就沒有睡著，你更是不能露半點馬腳，有尿也得憋著。

本來長相有點仙風道骨的蔣幹，後來在戲裡成了鼻樑上貼了塊膏藥的角色，人也變得鼠裡鼠氣的。這一切，都是讓周瑜害的。

羅貫中顯然很得意蔣幹中計這一戲，他不是簡單地嘲笑蔣幹的淺薄，表揚周瑜的聰明，而有更深層次的意圖。蔣幹中計，是整個赤壁大戰裡重要的一環，也是非常關鍵的一環，如果沒有蔣幹這次中計，曹操不會殺掉非常熟悉水戰的兩個水軍司令。

那樣他就不會採納龐統給他出的餿主意，把戰船拼接一起弄成水上航空母艦的模樣。那樣，即使周瑜施展火攻之計，也就沒有那麼大的威力了。在這次大戰中，所有的謀士，不管是有意還是無心，都在給曹操幫倒忙，好像老天故意跟曹操過不去，要給他一個大大的難堪。

這樣寫來寫去，就露出了羅貫中的狐狸尾巴，那就是貶斥曹操：失道寡助，多行不義必自斃，不管實力多麼強大，也是沒有好下場的。蔣幹再一次成為羅貫中攻擊曹操的一枚棋子，這次是從曹操的內部，從智謀方面來打擊他的自信心。並告訴人們，像曹操這樣的大奸大惡，就是網羅再多的人才，想盡千方妙計，也是搬起石頭砸自己的腳。邪惡永遠戰勝不了正義，這就是羅貫中的邏輯。

# 魯肅力排眾議：我看好劉皇叔

魯肅是孫吳政權裡，力挺孫劉聯合抗曹的主要人物，對於孫劉聯盟的形成和鞏固，發揮著非常關鍵的作用。他是雙方之間的黏合劑，沒有魯肅在中間的撮合，最終能否形成三分天下的格局，還真難說。歷史的演進，缺了誰好像都不行，沒有魯肅的出現，歷史可能就會走向另一條路。大人物創造的歷史，恰巧是由很多小人物串聯起來。

《三國演義》與其他戰爭類小說不同的是，裡面謀士眾多，整本書就是謀士的天下，讓人覺得所有的戰爭，不是軍事實力和國家綜合實力的較量，而只是謀士之間的角鬥。像魯肅這樣的謀士，三國裡多如牛毛，而且智商和計謀，很多人顯然都要高出魯肅一大截。那麼魯肅是靠什麼在你來我往，令人眼花撩亂的謀士紛爭的舞臺上立住腳跟，贏得一席之地的呢？

不怕招招會，就怕一招鮮，魯肅雖然不如諸葛亮、周瑜、徐庶鬼點子多，但魯肅也有自己的絕活，那就是他的大局觀和公正客觀地看待問題的態度，待人誠懇，做事認真，忠厚老實，不計較個人得失。僅此一點，就足以令眾多全軀保妻之士為之汗顏羞愧。

魯肅是《三國演義》中最大的一片綠葉，這一片大綠葉襯托出兩朵紅花，那就是周瑜和諸葛亮。周瑜和魯肅是好朋友，魯肅能在孫權手下當大官，就是周瑜推薦的，兩人的關係自不必說了。魯肅的為人，也深得諸葛亮的敬佩，所以諸葛亮對他一直很信任，在許多大事上，都願意與他合作。魯肅與諸葛亮的合作，就是從赤壁大戰開始的。

赤壁大戰前，無論是劉備還是孫權，處境都非常危險，不管曹操先滅了誰，結果誰都難以保全，只不過是分個先後罷了。諸葛亮看到了這一點，魯肅也看到了這一點，僅就這一大局觀，也非東吳那一群儒生可比。

在東吳，魯肅是第一個認識孫劉聯盟的重要意義，和第一個主張並積極行動促成孫劉聯盟的人。是他把諸葛亮帶到東吳，也是他穿針引線，促成諸葛亮和孫權、周瑜等東吳重量級人物的會晤，最終促成孫劉結盟的。魯肅說服孫權聯劉抗曹的那段話，最能看出他是一個什麼樣的人。

他對孫權說，「那些人讓你投降，其實就是為了保住自己的官位，你投降了，他們在曹操手下，還能繼續當官。對他們來說，投降不僅不是什麼壞事，說不定還會有好處。而你要是投降了，出路在哪裡呢？最好的結局是曹操封你為公侯，給你一所豪宅讓你居住，還能像現在這樣面朝南而坐，號令天下嗎？那些勸你投降的人，都是為自己著想。」這段話，真正說中了孫權的心事，讓他開始傾向於聯劉抗曹。

《三國演義》中，很多細節都能顯露出魯肅的忠厚，他為了讓孫權不再害怕曹操，一再叮囑諸葛亮，讓他見了孫權，一定不要說曹操有百萬大軍。當諸葛亮見了孫權反其道而行之，誇耀曹操有雄兵百萬的時候，魯肅並不知道諸葛亮這是用激將法來激怒孫權，他連忙給諸葛亮使眼色，可見魯肅是一個多麼誠實的人。

魯肅之所以極力主張孫劉聯盟，也是因為他非常看好劉備的實力。別看那時候劉備兵少將寡，但魯肅認為劉備是一支潛力股，不僅是皇族後裔，非常有號召力，手下諸葛亮的神機妙算，關羽、張飛、趙雲神勇無敵，而且最關鍵的是劉備目光遠大，志存高遠，不是鼠目寸光，見利忘義之徒，值得攜手共謀大事。在既生瑜何生亮的瑜亮對決中，魯肅其實是站在諸葛亮這邊的，在周瑜多次陷害諸葛亮時，魯肅都向諸葛亮伸出了援手，幫助他順利挫敗周瑜的陰謀。直覺上看，魯肅這樣做有點吃裡扒外，破壞他好朋友周瑜的定國安邦大計。但從大局上看，魯肅恰恰是站在東吳長久發展的立場上去這麼做的，之所以如此，恰好彌補了周瑜急功近利、目光短淺的缺陷，避免了東吳不必要的損失。

劉備借荊州，也是魯肅的傑作，是在他的擔保下，孫權才把荊州借給劉備，他也沒想到劉備會借去不還，為此還成就了關羽單刀赴會的英雄傳說。古人對魯肅借荊州的評價是「未為非」，以致有人也覺得他借荊州是一大敗筆。我則認為這是魯肅的高明之處：當時的周瑜極度不同意借劉備荊州，想靠自己的一己之力抗衡曹操。但是就長遠來看，他很缺乏頭腦，曹操兵多將廣，僅曹仁、曹洪、夏侯淵等就可以牽住東吳所有兵力，如果再遣張遼、張郃取益州，形成夾攻之勢，恐怕就是兩個周瑜也不能抵擋的了。

而事實證明，周瑜在荊州已經很吃力了，在取襄陽、樊城時，與曹仁就打得十分艱苦，而且自己也受了箭傷，不久後死去。所以那個被大家當作老實人的魯肅並不是《三國演義》裡說的那樣老實，總被諸葛亮耍，其實這才是他最大的政治智慧以及遠見卓識。

# 孔明舌戰群儒：真理總是掌握在少數人手中

《三國演義》裡，口水仗打的最精彩的，莫過於諸葛亮舌戰群儒了。這次口水仗，就是一次戰前思想觀念大討論，諸葛亮把自己當成了演說家、辯論高手，一隻虎面對一群狼，來了一次群毆，並把孫權手下的那些儒士們一個一個打得滿地找牙。

決定一場戰爭的勝負因素有很多，不僅打的是錢財，也打的是人氣，沒錢肯定不行，用核子武器對付小兵加步槍，一打一個準。但僅僅有錢也不夠，尤其雙方實力懸殊不是太大時，人氣往往會發揮出關鍵作用。

諸葛亮舌戰群儒，就是一次人氣總動員。這一次東吳儒士走馬燈似的與諸葛亮進行車軲轆戰，是羅貫中安排的一場大戲。整個辯論過程，東吳的儒士們確實很文雅，不粗野，不二打一，有點知識分子的儒雅和風範。

第一個登臺亮相的肯定是學歷最高，學術地位也最高的張昭，他是東吳儒界的老大，在政界的地位也非常人可比，他第一個叫陣，理所當然。張昭是一個政壇老狐狸，上來就給諸葛亮一個下馬威，客氣話沒說兩句，就直搗諸葛亮的要害處。他緊緊抓住諸葛亮自比有管仲、樂毅的才華這一點，用管樂兩人的豐功偉績來反襯諸葛亮目前的狼狽。意思很明顯，大家都對你寄予這麼高的期望，可是你卻沒有幫助劉備守住荊州，反而被曹操打得抱頭鼠竄，跑到東吳來搬救兵，也太對不起觀眾了。

諸葛亮以智聞名，張昭老狐狸就先從「智」下手，意思是，你說你才華出眾，可比管樂，為什麼弄得這麼狼狽呢？看來是徒有虛名罷了。

這一招真夠狠的，換成一般人可能就低頭認輸了。沒想到諸葛亮胸有成竹，聽了張昭陰狠的詰問，一點也沒感到難堪，臉不紅氣不喘，先是諷刺挖苦張昭，「燕雀怎麼能知道鴻鵠的遠大志向呢，我和劉皇叔之所以退卻，沒有跟曹操死拼，是為了保存實力。就像一個有病快不行的人，先要喝點稀粥，慢慢調養一下，等恢復了一些體力，才能下猛藥。如果一開始就用猛藥灌他，非灌死不可。留得青山在不怕沒柴燒。劉皇叔僅僅以幾千兵馬抗擊曹操百萬之眾，還打得夏侯淳和曹仁聞風喪膽，管仲樂毅用兵也不過如此。而且還照顧老百姓的安危，掩護老百姓撤退，才被曹操打敗，多麼仁義的人啊。當年劉邦創立漢朝的時候，整天打敗仗，只不過關鍵時刻垓下一仗就取得了天下，難道這不是因為韓信的計謀好嗎？我就是韓信那樣的人，臨機應變，好漢不吃眼前虧，不像你張昭，就知道空談誤國，讓天下人笑話。」

駁倒了張昭，東吳的那些高材生們當然不會甘休，虞翻、步騭、薛綜、陸績、嚴竣和程德樞等一干人物又分別從人格道德上，與曹操的力量對比上，諸葛亮什麼文憑，依據哪家的學問來幫助劉備，是不是學蘇秦、張儀來當說客，以及劉備是不是正統的皇室後裔，對諸葛亮展開了輪番的提問，提問尖刻，切中要害，唇槍舌劍，氣氛充滿了火藥味。諸葛亮沉著應戰，一一加以批駁，將這些人駁得啞口無言，最後都乖乖地坐下，沒了脾氣。

來東吳之前，諸葛亮沒有什麼大動作。新野的地方太小，曹操來了只能逃跑，根本沒有施展本領和才華的機會。這次預謀與東吳聯合，顯然是諸葛亮的主意，除了為劉備未來發展的大局著想，也存有自己的私心。

劉備想成就千秋大業，諸葛亮更想，僅有新野那點小動作，顯然資本還不夠，必須大大地露一手，才能不負臥龍的盛名。而舌戰群儒，正是一個絕佳的上鏡露臉、賺人氣的好機會。看一個人的身價，要看他的對手。東吳的這群大學問家們，在全國都是有頭有臉，知名度很高，和他們過招，效果自然不用說了。

舌戰群儒，實際上是羅貫中為諸葛亮辦的一次辯論大賽，目的是為了讓諸葛亮展示一下才華，脫穎而出，為後來赤壁大戰顯露身手，做好了鋪墊。同時，舌戰群儒也是羅貫中從側面對儒家迂腐文化的一個否定，嘲笑儒家文化滿口仁義道德，真的遇到了強敵，立刻變成了軟骨頭，既沒了正義的膽略，也沒有抗敵的智慧。這比寫上十篇社論批判儒學，效果還要好得多。

# 徐庶被拘：有話今天不想說

當人們嘲笑一個人不說話的時候，常常用一句歇後語，徐庶進曹營——一言不發。別小看這句話，表面說的是沉默是金，內裡卻另含一層譏諷，與發生在徐庶身上的另一句成語「身在曹營心在漢」，對照著看，就頗有味道了。

這兩句話放在一起，簡直就是一篇精妙絕倫的微型小說，「徐庶身在曹營心在漢，一句話不說。」看得出，徐庶被曹操軟禁了，但他還很有骨氣，不開口，不說話，不為曹操出一點力。就像一個人娶了老婆，可是老婆心裡卻整天想著舊情人一樣。但曹操也達到了一定的目的，不為我所用，也不能讓對手用。

按照羅貫中的口氣來看，徐庶好像才能和諸葛亮差不多。他本來是一個通緝犯，化名單福隱身在劉備的身邊，給劉備出謀劃策。有一次曹操攻打劉備，結果被徐庶用計給打敗了，曹操四處打聽出謀劃策的幕後人物是誰。當知道是徐庶後，就挖了劉備的牆角，把徐庶誆騙到了自己的身邊。

曹操這個人，很有政治頭腦，會玩權術鬥爭，鬼點子也多，善於抓別人的弱點。他聽說徐庶是個

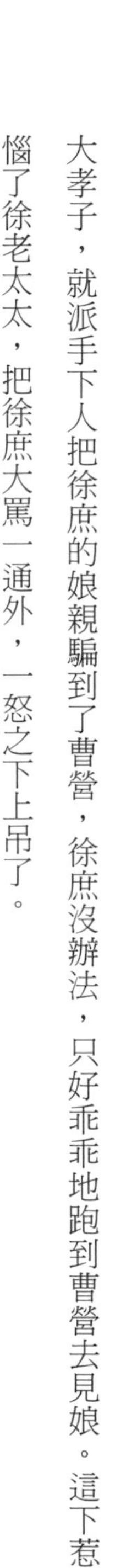


大孝子，就派手下人把徐庶的娘親騙到了曹營，徐庶沒辦法，只好乖乖地跑到曹營去見娘。這下惹惱了徐老太太，把徐庶大罵一通外，一怒之下上吊了。

徐庶一片孝心去見他的親娘，可是她卻為何一氣之下上吊尋了短見呢？用我們當代人的眼光看，徐老太太就是太迂腐了。她不滿兒子的原因很簡單，忠孝不能兩全，你徐庶既然知書達禮，又冰雪聰明，怎麼糊塗到這份上了呢？明明知道曹操是一個奸賊，我怎麼會讓你來投靠他呢？白養了你這個兒子，真為我丟人。

親娘死了，徐庶卻沒有死，他想得開，好死不如賴活著，只好大哭了一場，然後安心在曹操那裡過生活。不過徐庶這個人，愛慕虛名，他知道曹操除了軟禁他，也奈何不了他，就借坡下驢，裝憨賣呆，打死也不為曹操出謀劃策。這樣做起碼有兩個好處：第一，保住忠義好名聲。你看我多有骨氣，打死也不為曹操出力，我倒是很想繼續為劉備效命，可是沒辦法，曹操不放我。

第二，徐庶不過是想出人頭地，跟著劉備那也是沒辦法，沒別的路可走，如今躲在曹操這裡，坐山觀虎鬥，樂得悠閒自在。如果劉備打敗了曹操，到那時，他可以名正言順地去投奔，萬一劉備被曹操滅了，他可以繼續過自己的生活。

也就是說，不管劉備和曹操誰笑到最後，他徐庶都不吃虧，這才是他最聰明的地方。可嘆的是，當徐母被擄之時，以劉備之仁竟然沒能留得住徐庶，大概是他的想法已經發生變化，去意已決，才無可挽留。所謂「方寸亂矣」，固然是心牽慈母，很可能也有看不到劉備的光明前景進而藉機遁去的私心。而徐庶後來在魏國官至御史中丞，跟《三國演義》描述的「徐庶進曹營，一言不發」成了鮮明的對比。看來，徐庶也不忠，演義改寫歷史的能力，真是匪夷所思。說到這裡，徐庶的算計，已經被揭開了。

按照羅貫中表達的意思，不是曹操不想重用徐庶，而是徐庶骨頭硬，有傲氣，看不起曹操，根本不屑與曹操為伍。但要按客觀的態度去看，事實卻未必如此。曹操軟禁徐庶，不過是怕他為劉備出力罷了，但要重用他，卻未必有這個心思。曹操深知徐庶與劉備的關係，重用他，等於給自己裝個定時炸彈，說不定什麼時候就裡通外合，除掉自己。曹操這樣的政治大家，可不會做出這樣的傻事，更不會照著羅貫中的思路，滿足他的意願。所以，曹操最多給了徐庶一個御史大夫的官職做為安慰，令他終生未能施展大志。

## 陸遜出將入相：看熱鬧才熱鬧

陸遜是繼周瑜之後，東吳的又一個軍事天才，其水準不亞於諸葛亮和司馬懿。奪荊州挫敗關羽，火燒連營擊退劉備，這兩件最精彩的軍事行動，讓他名揚天下，成了盡人皆知的厲害角色。

陸遜出身江東豪門，是一個大家貴族子弟，但他脫穎而出，平步青雲成為地方大員，所憑藉的是戰功，而非家世背景。第一次露臉，是他幫助孫權平定江東，穩定了東吳政權的大後方，由此得到孫權的信任，把孫策的女兒許配給了他。

第二次就是騙關羽奪荊州了，周瑜費盡心機，氣得吐血而死，也沒有奪回荊州，他只動了動歪腦筋，彈指間，荊州就完璧歸趙了，還捎帶除掉了關羽和張飛。後來火燒連營，陸遜幾乎是憑一己之謀，燒得劉備倉皇逃竄，還沒逃回成都，就一命嗚呼了。

可以這麼說，劉關張三兄弟，或直接或間接，都是死在了陸遜的手裡。陸遜以智謀著稱，諸葛亮更是依靠智謀起家，陸遜的行為，好像在故意幫助諸葛亮掃除障礙，最後全面控制西蜀政權。一內一外，一陰一陽，配合默契。這不得不讓人懷疑，這一切都是諸葛亮和陸遜串通好的，否則，憑諸葛亮的聰明，察覺不到關羽統轄荊州之地的危險嗎？退一步說，有了失荊州的教訓，諸葛亮已經知道陸遜的厲害，不僅不陪同劉備一同東征，還沒有給劉備準備幾個對付陸遜的錦囊妙計，怎麼說都有點反常。

非常有意思的是，自從陸遜火燒連營、氣死劉備後，吳蜀間的爭鬥也告一段落了。雙方不再視為仇敵，深仇大恨也沒人再提起，吳蜀重新聯盟。劉備死後，曹丕想藉機聯合東吳滅掉蜀國，許諾打下蜀國後，五五分成，孫權不知該不該答應，這時陸遜開口說話了，意思是我們假裝答應曹丕，然後按兵不動。如果曹丕攻打蜀國得手，我們就乘機撈點好處，如果曹丕不能取勝，我們正好看熱鬧，誰也不得罪。

果然，曹丕這一次沒有鬥過諸葛亮，只好怏怏而回，陸遜的神機妙算，使東吳沒有再次與西蜀交惡。曹丕攻打蜀國失敗，諸葛亮立刻派人跑到東吳遊說孫權，希望重修舊好，聯合抗魏。這正是孫權巴不得的事情，當然滿口答應。別忘了，是東吳得罪了西蜀，諸葛亮主動和好，他有什麼理由再拒絕呢？

曹丕知道了吳蜀和好，當然非常生氣，他親自率領大軍攻打東吳，這樣危機的時刻，陸遜卻仍然把守著荊州，沒有回來擔任抗魏前線總指揮。可見東吳對荊州的重視程度，反而是諸葛亮派出了趙雲，幫助東吳打退了曹丕。

在諸葛亮六出祁山時，陸遜也沒有趁機抄他的後路，反而有一次要和諸葛亮聯手對付曹魏，只不過東吳的兵馬尚未行動，就被曹魏打敗。諸葛亮也就只好退回漢中，等待時機，再出祁山。

按理說，陸遜應該是西蜀的頭號國家公敵，從諸葛亮與劉備的關係來看，他也應該把主要精力放在消滅陸遜，奪回荊州，為先主報仇這件事上。可是他不僅無動於衷，還討好陸遜，自不量力地六出祁山討伐魏國。這個舉動根本談不上忠君愛國，反而加速了西蜀的滅亡，不得不說是對劉備形象的莫大諷刺。

羅貫中筆下的陸遜，是整部《三國演義》的轉捩點，他的出現，既宣布了劉備開始走背運，也昭示諸葛亮徹底掌控西蜀政權的開始。從此，劉備代表的忠孝仁義開始被陸遜和諸葛亮為代表的智謀所清算，一個新的三國時代拉開了序幕。關於這點變化，羅貫中雖然不願承認，但之後的西蜀，早已變了味道，取而代之的是無情和自私的陰謀詭計，成了西蜀最後滅亡的一個重要原因。這也從側面說明，忠孝仁義不能救國，智謀同樣不行。

妳看我神不神

# 第七章

# 三國鬥法之裝神嚇暗鬼

## ——借來一股枕邊風

# 築壇借東風：你看我神不神

借東風是諸葛亮第一次裝神弄鬼，來顯露自己的「巫術」。能有如此神通，自然會增加自己的神秘感和說服力。人們常說「如有神助」，已經很了不起，諸葛亮卻真有神助，那駭人之處就更不用說了。這是一個無聲的宣言，向人們宣告，自己不僅智謀超群，神機妙算，而且還有更厲害的絕招，能夠請來神仙幫忙，你不害怕都不行。

諸葛亮隻身到了東吳，先舌戰群儒，駁倒了孫權的智囊團，接著就來了這麼一招，繼續讓自己的身價增值。

人對神有天生的敬畏之心，這源於人的渺小和對未知世界的敬畏。藉助神的力量來打壓對手，消除恐懼，實現人力無法實現的事情，是人們的普遍心理要求。諸葛亮正是抓住了人的這種心理，借勢借力，打著神仙的旗號。如果草船借箭表現的是諸葛亮的機智和聰明的話，那麼借東風就表現出了他的政治大智慧。

火攻曹操水師，本來是周瑜定下的計策，苦於是冬季，江上常刮西北風，而迫使火攻計畫無法實

施。這時諸葛亮登壇作法，能夠從老天那裡借來東南風，助東吳軍隊一臂之力，簡直就神了。誰能做到這一點，誰的威望值、威懾力，自然飆升，人脈、人氣，就會瞬間聚攏，一夜成名，不是不可能的事情。

其實在那個季節，長江地區偶爾刮東南風也不是不可能的，諸葛亮精通天文，早就做好了天氣預報，但是他可不會輕易說出來。他是一個會利用各種資源的人，如此好的機會怎能錯過？他先是猜中了周瑜的心事，攻曹用火攻，萬事俱備，只欠東風。為此事周瑜非常鬱悶，病在床上起不來了，諸葛亮就以江湖郎中的名義去給周瑜治病，並告訴周瑜，自己可以呼風喚雨，借來東風，周瑜一聽立刻翻身爬起，病當即好了，看來這是心病。

接著，諸葛亮趁機故弄玄虛，裝模作樣地讓人堆了個高高的臺子，美其名曰七星壇，遍插旌旗。並且命令守壇的士兵不能交頭接耳，不能亂說亂動。然後焚香沐浴，光著腳披散著頭髮，在上面手舞足蹈，一會兒指天，一會兒指地，口中唸唸有詞，一天表演三次。果然，到了夜裡，就颳起了東南風。

周瑜見狀，大吃一驚，心想，此人有奪天地造化之功，鬼神莫測的法術，不能留，留下肯定會成為東吳的禍害。想到這裡，他一邊指揮軍隊攻打曹操，一邊安排手下去刺殺諸葛亮，等手下人趕到七星壇，諸葛亮早已下水，乘船開溜了。他這麼聰明的人，怎麼能猜不到周瑜的心事呢，所以提前做好了準備，讓趙雲來接他，安安全全地逃回了劉備的駐地夏口，周瑜只好扼腕嘆息了。

諸葛亮輕鬆地露了這麼一手，天下為之震驚。那時候，沒有幾個人懂得天文地理常識，特別是颳風下雨、電閃雷鳴，簡直神秘莫測，沒人能猜得到。諸葛亮這麼一借，借來的可不單單是東風，還借來了天威，借來了神化的地位。好風憑藉力，送我上青雲，這股風直接把諸葛亮吹到了雲裡霧裡，成就了一個高深莫測的妖仙形象。

從另一個角度看，羅貫中安排諸葛亮做借東風的這件事，也是為了增強吳蜀打敗曹操的信心，意思很明白，我們是正義之師，連老天都站在我們這一邊，得道多助，失道寡助，有神仙幫忙，我們還怕什麼呢？借東風是諸葛亮和周瑜第一次聯手合作，也象徵著兩人的鬥法正式開始。

本來周瑜也沒把諸葛亮當回事，但是看到他真的借來了東風，立刻發覺到諸葛亮的厲害，後來的事實也證明，諸葛亮幾乎憑藉一己之力，硬生生地從曹操和孫權的嘴裡搶走一塊肥肉，為劉備打出三分之一的天下來。

# 空城計：有膽你就進來

諸葛亮的空城計，古今有名，大多數人認為是一個了不起的計策，尤其是平民百姓，對此更是津津樂道，認為諸葛亮料事如神，計謀出神入化，沒用一兵一卒也能嚇退敵軍。

諸葛亮唱的這齣空城計，故事情節很有吸引力，至於真假，也不用細究。我們不妨對羅貫中安排這個故事的用意，來探討一下。表面看，這個故事是為了表現諸葛亮的智謀超群，但是放到三國的背景裡看，就會發現其中的奧妙。

馬謖失了街亭，諸葛亮只好退守西城縣，他本可以棄城而逃，換了別人也會這麼做，但諸葛亮深知，區區兩千多人馬，是跑不了多遠，很快就會被司馬懿的十五萬大軍追上活捉，與其逃跑，不如臨機應變。

於是下了一招險棋。命人把四個城門全部打開，派了二十個老兵在門口掃地，自己則搬了一張琴，焚了一爐香，帶了兩個小書童，坐在城樓之上彈琴。司馬懿的大軍跑來一看，不知道是怎麼回事，於是司馬懿自己上前，看後大為驚詫，心說諸葛亮一定不懷好意，立即率領大軍撤退了。諸葛亮的陰謀得逞，雖然嚇出一身冷汗，虛驚了一場，還是僥倖逃過一劫，不敢久留，匆忙逃回漢中。

很多人看了這故事都會說，如果換成我是司馬懿，就會衝進城去，正因為如此，司馬懿能成為大元帥，而你不能。原因很簡單，大凡有點水準的軍事家，都清楚兵不厭詐，知己知彼才能百戰不殆的道理。司馬懿搞不清諸葛亮的意圖，當然不敢貿然行事。

兩人的智謀不相上下，可是最大的悲劇是，不是別人永遠不相信他們，而是他們永遠不相信別人。諸葛亮既不會相信司馬懿，司馬懿也不會相信諸葛亮，誰也不相信誰，那這齣空城計當然就能成功了。如果換成司馬昭，可能早就衝進去了，但如果換成司馬昭，諸葛亮斷然不敢採用這一招，這就是高手對決，知己知彼，臨機應變的奧妙所在。

可是仔細一琢磨，這個空城計有點子虛烏有，並且不合邏輯。根據《三國演義》的說法，兩軍的軍力懸殊很大，既然司馬懿帶了十幾萬大軍，那麼把這個城圍起來，圍而不打不就可以了嗎？何必掉頭就走呢？

所謂空城計，還有更深的寓意隱藏其中。當時諸葛亮伐魏，國人都持反對態度。主要是國力不強，人心思定，連年征戰，不勝負擔。當務之急，應該使蜀中人民得以喘一口氣，休養生息，醫治戰爭創傷。而諸葛亮卻不顧這種普遍的抵觸情緒，堅持北伐。那時候的蜀國，被折騰成了空架子，只有諸葛亮自己坐在城頭上唱空城計。

老江湖還是老江湖，但江湖已不是當初的江湖了。首先，經過劉備伐吳，火燒連營，加上七擒孟獲，諸葛亮窮兵黷武，蜀國元氣大傷，經濟基礎薄弱，綜合國力根本無法與魏國抗衡。其次，人才

匱乏，無論是管理人才，還是軍事人才，都已經枯竭，加之諸葛亮用人死板教條，剛愎自用，才會出現蜀中無大將，廖化做先鋒的局面。

整個蜀國，就靠諸葛亮的一己之力在支撐，在唱空城計，懾於他的智謀，無論是東吳的陸遜，還是魏國的司馬懿，都不敢貿然進入，抄蜀國的後路和揭它的老底。諸葛亮苦苦支撐的蜀國政局，雖然表面泰然自若，實際已經外強中乾，強弩之末了。

綜觀諸葛亮的一生，在劉備死後，他也只能唱空城計。由於他的立國思路與劉備不同，棄忠孝仁義而用智謀治國，就失去了民心。對於一個國家的長治久安來說，智謀其實沒多大用處，關鍵還要看民心，平民百姓靠種地打糧生活，有幾個是靠智謀過日子的？那不過是茶餘飯後的話題罷了。

諸葛亮太迷信自己的才華，窮兵黷武，致使國力衰微，民心渙散，縱然是天府之國，也沒多少力氣來打天下了。另外，他的用人策略也有很大的問題，除了蜀國偏居西南，教育落後，人才本身就稀少缺乏外，沒有多少人願意去投靠他。好不容易招降了一個姜維，無奈形隻影單，難撐一國的大局。

趙雲，老的只靠倚老賣老了，剩下的就是關興、張苞這些富二代，沒辦法，廖化最後都做了先鋒官。在吸引人才、拉攏人才、收買人心方面，諸葛亮比劉備差遠了，空有奇思妙想，沒有得力的人來實施，再好的智謀也是華麗的空想而已。

# 木牛流馬：誰都有拿手的絕活

木牛流馬是諸葛亮最大的科技發明，在當時應該屬於尖端高科技產品，相當於現在的機器人，能夠自動行走，運糧工作，不需要吃草吃料，是一個省時省力省能源，又環保的新型運輸工具。尤其適應高山峽谷，行動不便的羊腸小徑。

很可惜，諸葛亮發明的木牛流馬，只是一個傳說，沒有流傳下來。如果問木牛流馬到底有沒有，還真不好說，但有一點是確定無疑的，諸葛亮發明它，不是做為一個科技產品來使用推廣的，而是做為欺騙司馬懿的一個道具，附帶著運點糧草。這一目的，不僅改變了木牛流馬的性質和命運，還使它附帶了神秘的色彩。雖然它本身並不是什麼克敵制勝的法寶，但是諸葛亮使用它，卻讓司馬懿發覺到了自己的神奇，進而在精神和心理上，有著瓦解、動搖對方軍心的作用。為自己戰勝司馬懿，增加籌碼。

根據《三國演義》裡，羅貫中對木牛流馬的描述，好像製作方法不算複雜，但要按圖索驥，真弄出個這樣的東西來，卻一點也不能用。雖然不能根據這一條，就來否定木牛流馬真有其物，但其性能還是值得懷疑的。關於這一點，是科學上的問題，我們暫且放下，重點來說說羅貫中為什麼要寫諸葛亮造木牛流馬這事。

古代的能工巧匠，歷來不乏其人，像魯班、墨子、張衡等，都是這方面的大家，諸葛亮神乎其技，也玩了一套發明的把戲，用來運送軍糧，克敵制勝。可是除了表現他的聰明絕頂外，無意也透露了一些不易讓人察覺的苦澀和尷尬。

諸葛亮千里迢迢率領蜀軍，翻山越嶺進行北伐，僅後勤給養就是個大問題。李白大才子就曾說過，蜀道難，難於上青天。大量的輜重要運出蜀地，談何容易，也只有靠木牛流馬這類傳說來完成這一使命了。顯然，羅貫中是在幫助諸葛亮想辦法克服這一難題，讓人們相信，他是有能力完成北定中原，匡扶漢室的歷史重任。

不僅如此，他在表現諸葛亮神乎其神的智謀方面，可謂用盡心機。用一個小小的木牛流馬就解決了亙古難以解決的問題，除了欺騙讀者，還表現了諸葛亮不自量力的一面。木牛流馬不需要動力，自動前進，如同科幻電影裡才會出現的機器，如果真有這樣的運輸工具，解決糧草運輸，當然不是問題。別說幾十萬大軍，就是幾百萬幾千萬，只要木頭充足，大量生產，既不耗費能源，也無需人推馬拉，如此先進設備，哪裡去找？如果沒有神助，那就是謊言了。顯然，羅貫中是想達到前者的效果，而我們更相信後者。

諸葛亮發明木牛流馬，也從側面說明了蜀軍後勤給養的艱難，他和司馬懿兩個人除了進行軍事較量外，也玩起了後勤戰，兩個人在秦嶺的大山中鬥法，後勤補給自然就成了命門。司馬懿的難度要遠遠小於諸葛亮，畢竟從八百里秦川獲得補給，要比巴蜀容易得多。所以司馬懿得到木牛流馬，只是用來運糧草，而諸葛亮則是為了向司馬懿宣告自己有神力相助，即便打個十年八載，也不怕糧草供應不足。這樣表決心，恰恰說明了自己的心虛。

神化諸葛亮的目的，不外乎讚美他的智謀。用木牛流馬這樣的小發明襯托一下也未嘗不可，只可惜這小玩意，承載的重量太重，即便不會被身上馱著的軍糧壓垮，也會被北定中原的希望壓個稀爛。綿延不斷的秦嶺，成了諸葛亮永遠跨越不了障礙。

# 隴上妝神：張天師住我隔壁

諸葛亮六出祁山，總給人一種黔驢技窮的感覺，常常靠裝神弄鬼來謀取一點點小勝利。隴上裝神，就是諸葛亮與司馬懿的一次資源掠奪戰。諸葛亮裝神弄鬼已經不是第一次了，火燒赤壁時借東風，就曾牛刀小試。此次故技重演，將司馬懿嚇得魂飛魄散，把整個隴上的小麥，都拱手讓給了諸葛亮。

古時候打仗，同樣打的是經濟實力，單憑蜀國當時的經濟狀況，別說打敗魏國，就是和東吳較量，也佔不到什麼便宜。國力不濟，勉強為之，一次兩次還說得過去，一而再再而三地如此，這就讓人不免懷疑諸葛亮是不是聰明過了頭。表面上看，諸葛亮每次出祁山的失敗，都有不同的原因，但歸納在一起，還是實力不濟。投機取巧，一時得意，很難贏得長久的勝利。

其實司馬懿早已看清諸葛亮的命門，所以不會輕易出戰，只等對方耗盡軍需糧草，供應不濟時，自然不攻自破。司馬懿的如意算盤，一點沒有打錯，這樣的消耗戰，諸葛亮顯然吃不消。所以他利用一切機會，掠奪戰爭資源，這次隴上裝神，就是一個典型的例子。

諸葛亮出祁山北伐中原，每次都倉促行事，這次剛出門就發現，糧草運輸根本跟不上。正巧此時是農曆五月，小麥收割季節，他就想到了搶割小麥，應付軍需這一招。司馬懿也早料到了，所以他率領大軍來保護麥田，而不是去和諸葛亮拼命，顯然是想困死諸葛亮，逼迫他撤軍。

當諸葛亮率軍去割麥時，發現司馬懿早已尾隨而來，但他一點也沒有感到意外，用三輛四輪小木車，每個車上坐著一個自己，他不會分身術，當然有兩個是假冒的，讓自己的人扮成神仙模樣，光腳散髮，手舞足蹈，弄得神神秘秘。司馬懿信以為真，不知是人是鬼，只好退回城裡閉門不出，諸葛亮趁機派出三千精兵，一夜把隴上的麥子全部割光。後來司馬懿知道了真相，也只是無可奈何。

諸葛亮雖然得到了隴上的小麥，解了一時燃眉之急，但終不是長久之計。蜀軍出川打仗，軍需供應是一個難以克服的大難題，解決不了這個問題，其他的就算有再高的智謀，再遠大的理想，也都是胡扯了。經濟基礎決定戰爭勝負，這是硬道理，即便是神仙般聰明的諸葛亮，也逃不脫這一規律。

裝神弄鬼，在古代是一種智謀。那時候人們比較相信和敬畏神的力量，諸葛亮就如同一個道家高手，奇門遁甲那一套把戲玩得很熟。道教的神一般都是人格化的神，而且感情色彩濃厚，主要是幫助人們完成一些人力無法做到的事情，例如行雲佈雨，撒豆成兵，尋仇雪恨，發財暴富等，而且誰給燒香上供，就幫助誰，很符合人們投機取巧走捷徑的心理。

過分看重神力，就會導致巫術大行其道，什麼奇門遁甲，長生不老，風水八卦，預測吉凶等等，五花八門，不勝枚舉，令人深信不疑，癡狂迷戀，卻不知修身養性，陶冶情操。諸葛亮正是抓住了

道教的這個特點，搞得自己高深莫測，法力無邊，平添了幾分威懾力。

兵馬未動糧草先行，這是用兵作戰的基本常識。連糧草都供應不上，就匆忙的出擊，說明諸葛亮不是狂傲自大，就是立功心切。

綜觀整個北伐，諸葛亮始終沒能解決好後勤給養問題，這一點也不怪他，高聳的秦嶺就是飛鳥也不容易飛過。但有一點他是不可原諒的，那就是沒有審時度勢，根據自己國家的實際發展狀況，量力而行，而是勞民傷財，明知不可為而為之。儘管羅貫中極力美化諸葛亮，把他描繪成行仁義王道的君子，但事實並非如此。他很少顧及蜀地百姓實際的生活狀況，沒有休養生息，如果說七擒孟獲是為了鞏固後方，是一件正確的事情，那麼六出祁山伐魏，弄得本來就很單薄的國力愈加薄弱，就是典型的窮兵黷武，好大喜功了。

回顧諸葛亮一生的奮鬥史，我們只看到他不停地奔波，不停地征戰，不停地揮霍資源，以及不停地仰天長嘆「謀事在人，成事在天」，好像他是一個不折不扣的悲劇英雄。可是他卻用了幾十年的時間，將國庫折騰的幾乎耗盡，不僅沒有光復漢室，最後連老窩都給人了。敗軍之將，如何言勇？歷史總是如此滑稽，為了一個「忠」字，諸葛亮不惜勞民傷財，不惜大動干戈發動傷人害己的戰爭，最終受害的是蜀國百姓，而得到虛名的卻是他自己。

# 嚇退活司馬：做鬼也不放過你

諸葛亮雖然耗盡畢生精力，殫精竭慮要平定中原匡扶漢室，但六出祁山，均無功而返，最後落得累死他鄉，加速了蜀國的滅亡。強弩之末，不能穿縞素，何況要征討實力遠遠高過蜀國一大截的曹魏，如此自不量力、自討苦吃的事情，竟然出自智商奇高的諸葛亮的手筆，不得不讓人相信「聰明一時糊塗一世」這句古話的精妙。

諸葛亮中原伐魏，他自己也知道心有餘而力不足，完全靠自己神化的餘威，勉強去攻打魏國。如此吃力不討好的事情，除了為了名聲，實在找不出別的理由。諸葛亮最後是累死沙場的，這在古今中外著名的軍事家中，還真屬於鳳毛麟角。

他之所以會落得如此的結局，就是因為太相信自己的能力，也太不相信別人的能力了。大概是劉備在臨死前授予了他無上的權力，並要劉禪把他當成父親，為了不愧對老闆的「託孤之重」，他只有沒日沒夜地拼命了。

於是，大事也管，小事也管，該管的也管，不該管的也管，弄到最後，自己忙得要死，而其他的管理人員則閒得要命。難怪他最大的對手司馬懿判斷他活不長，每天工作二十個小時，忙的都是雞毛蒜皮的小事，不顧休息，飯量又極小，怎能活得長久？

不僅如此，他還死不認輸，如果一次兩次出祁山，還可以理解，可是一而再再而三地重複一件事，直到累死，怎麼說也令人想不通。沒有經驗有教訓，沒有教訓還有古訓，最終在一棵樹上吊死了，這種牛筋精神不服不行啊。

每一次出祁山，司馬懿都能抓住諸葛亮的弱點，不與他鬥智，耗的就是國力，直到耗盡他最後一絲力氣，坐收老天派發的紅利。

當然，聰明的諸葛亮就是死，也不會輕易讓司馬懿佔到便宜。為此，他的謝幕演出，也非常精彩，硬生生用自己的木頭像，嚇退了司馬懿，使得蜀軍能夠順利地撤退。死諸葛嚇退活司馬的事蹟，當作故事來讀，顯然生動有趣，但做為政治軍事事件來看，就是一個悲劇了。一個國家或一支軍隊，只能靠個人的餘威來嚇退敵人，那離失敗也就不遠了。

在諸葛亮與司馬懿的較量中，司馬懿笑到了最後，他不僅熬死了諸葛亮，還奪去了曹魏政權。兩人較量，其實並非個人水準的較量，而是兩國實力的較量，諸葛亮是一個愛慕虛名的人，為了「忠誠」不惜逆勢而動，強行六出祁山。

但這種美名是靠犧牲蜀漢的國家利益獲得的，我們應該看到他這種做法自私虛偽的本質。如果諸葛亮帶領蜀國軍民韜光養晦，老老實實地發展生產，休養生息，培養人才，積蓄國力，那麼即便他死後，蜀國也不至於如少了房樑的屋子，瞬間倒塌。

我們仔細看一下白帝城託孤之後諸葛亮的表現，就能夠明顯地看出，劉備死後，諸葛亮的一連串行動，顯然正氣不足，帶著一種灰色調，缺乏民眾的支持。

劉備統治的西蜀，豪氣干雲，大開大闔；諸葛亮治理的西蜀，則是死板嚴肅，不僅沒有了以往恢宏的氣勢，也沒有了睥睨天下的氣概。這就是不同領袖氣質帶來的國家表現的不同。劉備時期的五虎上將，全都個性鮮明，激情澎湃，活力四射，而諸葛亮時期的將領，都是一些拘謹內斂的人，很少有忠肝義膽之士。

三國後期，等到廖化上場，諸葛亮治下的西蜀，確實是強弩之末了。像樣的，能拿得出手的將領，很難物色到。他在《出師表》中，曾經為劉禪隆重推出了幾個他認為是傑出人才的管理者，希望得到重用，但推薦的多是忠誠老實但能力欠缺的人。

而劉禪聽從他的勸告之後，任用了一大批好好先生，最終丟了江山。這也說明諸葛亮儘管英明無比，偉大無比，但他未能為蜀國準備足夠的人才，這是他的極大失策。一直到死的那天夜裡，他還哀嘆平生所學的兵書，遍觀諸人，無可傳授者，最後只好勉勉強強地傳給了姜維。可以說，蜀國成也諸葛亮，敗也諸葛亮。

關平之死，就如諸葛亮自己所言，在西蜀，忠義之氣已絕。等到自己累死在五丈原，蜀國就徹底地失去了最後一絲生機。僅僅靠他最後的餘威嚇退司馬懿，只能保蜀國一時無虞，更大的災難很快

就會來臨。

俗話說，謀事在人，成事在天。過於看重人的才能，而不能順應時勢，想成就一番霸業，根本是不可能的事情。

時勢造英雄，時勢更能毀滅英雄。

其實一點也不願意挨

第八章

# 三國鬥法之放火燒孟德

——赤壁不是我燒紅的

# 闞澤密獻詐降書：玩的就是心理戰

三國中最精彩的一場戲莫過於火燒赤壁了，圍繞這一戰，各方勢力全都粉墨登場。以曹操為代表，包括劉表舊部的進攻方，以孫權周瑜為代表的防守方，以劉備諸葛亮為代表的參與方，三方齊聚長江岸赤壁這個大舞臺，你方唱罷我登場，到頭來互相為他人做嫁衣裳，成就了眾多的好漢，也打滅了眾多的英雄。

為了這次角逐，攻守雙方都使出渾身解數，場面十分熱鬧，簡直就是一個連環套。赤壁大戰的起因是曹操統一了北方，勢力正盛，率大軍拿下荊州後，想一鼓作氣掃平江東，統一天下。這個時候，正好有荊州投降的水軍，為曹操攻打江東提供了便利。曹操號稱百萬大軍，勢頭正猛，江東和劉備等一干人，當然都很害怕。孫權和周瑜，怕被曹操擊敗，失去自己的地盤，劉備和諸葛亮怕曹操擊敗孫權，下一個被收拾的就是自己。這樣一種微妙的局勢，使得孫權和劉備聯手，共同想辦法對付曹操。

整個破曹連環套中，闞澤詐降是重要的一環。在周瑜的戰略部署中，打敗曹操，必須先除掉曹操的水軍將領，特別是劉表的舊將蔡瑁和張允，兩人都是打水戰的高手，滅了他們，大概就等於砍掉了曹操的手腳。好在他們都是剛剛投降曹操的，立足未穩，戒心未除，還有機可乘，只用了反間計，就解決了問題，下一個環節就是如何擊敗曹操的超級艦隊了。

沒了水戰高手，曹操於是接受了龐統的餿主意，把他的艦隊全都拴在一起，這就為周瑜的火攻創造了條件。

萬事俱備，只差內應。這時候，老將黃蓋挺身而出，願意受皮肉之苦，來個苦肉計，打入曹操內部，做周瑜攻曹的內應。用黃蓋實施苦肉計，就需有個說客，到曹操那裡通風報信，促成好事。闞澤就是再合適不過的人選，他來到曹營詐降，老謀深算的曹操當然不會輕易上當，剛見了闞澤，就命人把他綁了砍頭。換成別人，可能嚇也嚇暈了，但闞澤卻不慌不忙，沉著應對，他深知曹操的脾氣，雖然多疑，但也容易輕信。於是他一步一步說服了曹操，讓曹操對黃蓋來投降這件事，深信不疑，最終落入周瑜為他設計的圈套。

闞澤是如何說服曹操的呢？他將黃蓋的投降信交給曹操，曹操拿到書信後的反應是「於几案上反覆將書看了十餘次」。看來他對這封書信並非完全相信（假如他對此深信不疑的話，那他也就不是曹操了），但也並非完全不信，因為這是一個極有誘惑力的機會，輕易放過實在可惜，因此他要試探一下。

曹操不愧是奸雄，他的試探方法也極為高明：他並沒有立即說我信你或者我不信你，而是先把闞澤晾在了一邊。此刻闞澤唯一能做的只是站在那裡等，而且還是忐忑不安的等。在好長一段時間裡，曹操一直都在仔細「研究」那封信，所以闞澤心裡不免會這樣想：「曹賊到底信是不信呢？怎麼一句話也不說啊？」殊不知這一招卻正是曹操的殺手鐧。

須知死固然可怕，但更可怕的是等死。曹操正是要用這樣一種強大的心理壓力來試探闞澤的來意。忽然，曹操拍案張目大怒曰：「黃蓋用苦肉計，令汝下詐降書，就中取事，卻敢來戲侮我耶！」便教左右推出斬之。我猜闞澤此刻一定是心中一涼，心想「這次自己的小命算玩完了。」但他畢竟不是碌碌之輩，在剎那的慌亂後，立刻想出了一個補救辦法，那就是「面不改容，仰天大笑」。目的有兩個，一是為自己贏得思考的時間，以便理順思路，初步考慮一下接下來該怎麼辦；二是給曹操製造好奇心。果然曹操讓他這一笑弄得莫名其妙，於是，教牽回，叱曰：「吾已識破奸計，汝何故哂笑？」這麼一來，必死的局面便有了一絲轉機。

其實，曹操仔細研究了書信後，認為黃蓋使的是苦肉計。因為闞澤並沒有告訴曹操，黃蓋來投降的具體時間，沒有任何約定，說白了只是一個意向，他的懷疑也是有道理的。闞澤憑藉三寸不爛之舌，硬生生地把曹操繞迷糊。他抓住了曹操自以為是的弱點，嘲諷他說，「你自稱是一個熟讀兵書，有雄才大略的戰略家，怎麼會不知道背著主人當小偷，不能定下日期的道理呢？這樣的事情，只能相機行事，萬一情況有變，不方便行事，就會造成彼此的誤會，使事情敗露。」

曹操是一個自恃聰明的人，聽了這話，認為非常有道理，便信以為真了。接下來，他開始對闞澤以誠相待，許諾說如果闞澤和黃蓋來投，攻下東吳後，一定會許給兩人高官厚祿。這話說的一點也不假，不為高官厚祿而窮忙活的人的確很少。

而闞澤說的比唱的都好聽，他說我們不是為了高官厚祿才來投靠的，是為了順應天意，表現出了足夠的高姿態，同時又奉承了曹操。闞澤離開曹營，曹操送他金銀珠寶，他也沒要，以此表明他的忠心，意思是，事成之後，再賞我不遲。事情到此，並未結束，闞澤回來後，繼續扮演詐降的角色，配合甘寧，又欺騙蔡中、蔡和兩人，讓他兩人報信曹操，甘寧也要投降，進一步增加曹操對此事的信任度。

即便如此，曹操仍然沒有完全相信，他接著又派蔣幹到江東去探個究竟，結果，蔣幹再次中了周瑜的計，不僅沒探聽到虛實，還自以為是地領回了龐統。正是龐統獻的連環計，才徹底葬送了曹操的超級艦隊。一環扣一環，原來曹操中的是連環計。

從羅貫中的角度去看，闞澤詐降這件事，對曹操是一個諷刺，諷刺他剛愎自用，輕易地就上了闞澤和黃蓋的當。客觀地說，這種諷刺也是有些道理的，但從更深遠處看，這件事就有了另一番意思。

闞澤詐降，表面看是曹操輕聽偏信，導致赤壁之戰大敗，蒙受了巨大的損失，但任何事情都是有利有弊。也正是他這種用人不疑，疑人不用的胸襟，才使天下眾多豪傑，紛紛去投靠他。況且，萬一黃蓋投降是真的，曹操攻打東吳，勝算不就更大了嗎？正因為他能如此上當，才更能看出他的胸襟和膽略。

所謂英雄，都是從一個又一個跟頭裡爬出來的。

# 周瑜打黃蓋：其實一點也不願意挨

周瑜和諸葛亮的破曹計，是從蔣幹開始的，蔣幹偷雞不成反蝕把米，唆使曹操殺了水軍的兩員主將蔡瑁和張允。曹操事後明知上了當，但又不好說破，於是又生一計，讓蔡瑁的兩個兄弟蔡中和蔡和打著為兄報仇的旗號，去東吳詐降，臥底潛伏做內應。這樣的伎倆當然逃不過周瑜的眼睛，他反而以毒攻毒，以其人之道還治其人之身，如法炮製，讓黃蓋實行苦肉計，也來了個同樣的詐降計，矇騙曹操。結果，周瑜笑到了最後，而曹操一再鑽進別人給自己下的套。

周瑜打黃蓋的故事，放在東吳這個環境裡，就有了特殊的意義。江東孫氏集團，以智勇誠信立國，鴻學大儒之士眾多，但少有忠義剛烈之士，人們普遍喜歡智力遊戲，而不喜歡舞槍弄棒，殺殺砍砍。黃蓋的忠義，在東吳可謂獨樹一幟，不久前諸葛亮舌戰群儒時，就可看出東吳多趨利避害之徒，很少有人為了忠義之名，而葬送自己的生命。

東吳所處的江東，歷來是富庶之地，文化發達，生活安逸，而且傳承悠久，養成了很多貴族的生活習氣，他們大多數受過良好教育，非常愛惜生命，能智取的，絕不蠻幹，不會輕易放棄自己的好

日子。所以東吳願守不願攻，很少主動出擊去攻打別的國家。在這種環境下，有了黃蓋這樣的忠義之士，很快解決了周瑜面臨的難題。

黃蓋詐降的成功，與蔡氏兄弟詐降的失敗，正好形成了鮮明的對比。同樣是詐降演戲，曹操派出的演出人員，沒有深厚的功底，演技明顯水準不高，讓江南那些老江湖們一眼就能看穿。

而江南周瑜手下這些常玩陰謀的人，戲演得就特別真誠，明明是假的，看上去也和真的一樣，令人無法不相信。騙子騙人，都是騙外行，真正遇到了內行的人，騙子就會繞道而走。周瑜這樣的計謀騙得了曹操，當然瞞不過同樣智謀的諸葛亮。所以周瑜打黃蓋，別人都相勸，唯獨諸葛亮冷眼旁觀，無動於衷。他看穿了周瑜的把戲，又把這事告訴了魯肅，魯肅是個實在人，有話藏不住，就如實地彙報給了周瑜。這讓周瑜堅定了除掉諸葛亮的決心。

這一次，周瑜想了個置人於死地的招數，安排諸葛亮在根本不可能完成的時間內督造十萬枝箭，這又引發了下一場鬥智，那就是草船借箭。這比起與曹操玩的這些小把戲來，根本不在一個級別上，那才是真正的高手對決。

# 草船借箭：智力比拼的最高境界

俗話說，行家一伸手，便知有沒有。經過智激周瑜那次較量，周瑜就意識到諸葛亮的水準不一般。等到他誘使蔣幹中計，使曹操殺了蔡瑁和張允兩員水軍將領這件事被諸葛亮看破後，他已經看清楚諸葛亮是一個大才，留之後患無窮，所以下決心將諸葛亮除掉。但殺人必須有理由，何況是殺掉同盟國的人，而且是大名鼎鼎的臥龍先生，沒有十分合理的理由，是萬萬殺不得的。

周瑜智謀過人，晃一晃腦袋，歪點子有的是。他沒費什麼心思，就想到了一個一般人難以做到的差事，來難為諸葛亮，想藉機名正言順地殺掉他。

於是，周瑜打著商議軍務的幌子，故意問諸葛亮，水戰最好用的武器是什麼，諸葛亮當然能回答如此腦殘問題，脫口而出說是弓箭。周瑜趁機說，「咱們的箭不夠用，就麻煩諸葛亮先生幫忙督造十萬枝箭吧。」

他給諸葛亮十天的期限，一般人都知道，十天要造出十萬枝箭，談何容易。何況是在周瑜的地盤上，他故意做做手腳，不給工具，不給材料，諸葛亮自然不能按時完工，那時就可以用貽誤軍機的罪名要了諸葛亮的小命。

諸葛亮聽後，只是嘿嘿一笑，說，「曹操大軍已經逼近，十天完成，黃花菜都涼了。我只需三天時間，就能造出來十萬枝箭來。」他並當即立下了軍令狀。周瑜以為他是在說大話吹牛皮，心裡更高興了。

諸葛亮要不是胸有成竹，是不敢接周瑜這一招的。原本他就想在東吳眾將領面前露一手，有了這樣的好機會，他怎能錯過。當然，他不會找人造箭，要是那樣的話，即便造了出來，也不算什麼本事。必須另闢蹊徑，出人意料，才能一鳴驚人。諸葛亮想的招數，的確古今未聞，那就是向對手借箭。從對手那裡借來戰爭的武器，用來攻打對手，這一招實在大膽，當然也夠老辣歹毒的。

這次，諸葛亮沒有讓魯肅把自己的想法告訴周瑜，而是讓他為自己準備好借箭的工具：快船、篷布和草人。到了第三天該交差的晚上，諸葛亮秘密地請魯肅一起到船上去，說是到江心飲酒。魯肅不知諸葛亮葫蘆裡賣的什麼藥，但他相信諸葛亮約他前來一定大有深意。

果然，沒過多久，二十條快船靠近了曹操的防區，此時江上大霧瀰漫，諸葛亮命人擂鼓吶喊，虛張聲勢。大霧看不清楚，曹操恐怕有伏兵，只好命令弓箭手，亂箭射之。這樣到了天亮，果然騙到十幾萬枝箭。

周瑜為諸葛亮出的這一道難題，意圖就是為了殺掉諸葛亮，沒想到諸葛亮來了這麼一套。諸葛亮既展示了才華，賺得人氣，又輕鬆地救了自己的小命。後來諸葛亮自己道出了其中的奧秘，那就是自己上通天文，下曉地理，知道這天晚上會起大霧，所以才敢許諾三天時間。看來，他這出奇制勝的招數，是建立在科學基礎上。

但是，成功需要三個因素：勤勞，智慧和運氣，缺一不可。當然像諸葛亮這種曠世奇才可以省去勤勞，但卻少不了運氣，就拿草船借箭來說，如果運氣不佳的話，可能出現以下幾種結局：

結局１：不多不少，只差一枝箭。草船上的草人中了很多箭，約有十萬餘枝，但是仔細一數，只有九萬九千九百九十九枝。還是沒有完成任務，結果周瑜依軍法處斬了諸葛亮。

結局２：超載。曹軍射的亂箭插滿了船身一側，使船失去了平衡，側翻了，結果諸葛亮和魯肅喪命於江底。還有一種情況就是，曹軍射來的箭插滿船身的一側，諸葛亮命人即時掉轉船頭，使箭又插滿船身的另一側。諸葛亮讓軍士大喊：「謝謝曹丞相贈箭。」這時，曹軍發現上當便立即追擊，諸葛亮船隊負重太多，來不及逃走，皆被曹軍俘獲。

結局３：曹軍射的是火箭。船行到曹營附近，曹軍以火箭射之，草船全部被燒毀。

結局４：曹軍出來應戰。曹操聽到水寨外的喊殺聲當即下令全軍出擊。諸葛亮和魯肅見勢不妙，掉頭逃跑，好不容易藉著大霧逃脫了。沒想到曹軍不肯善罷甘休，順勢來到周瑜水寨前叫罵。周瑜不敢應戰，就下令調撥所有弓箭手到江邊。好不容易將曹軍射退，卻把東吳的箭射了個精光。諸葛亮見狀不妙，直接逃回了夏口。

赤壁大戰時，作戰三方的勢力就數劉備弱小，還沒有形成氣候，不能獨立支撐一方。他要生存，必須巧妙藉助曹操和孫權兩方的力量，在他們的夾縫中謀得生存的機會。如果曹操和孫權任何一方消滅了對方，那麼他劉備的死期也就到了。諸葛亮老謀深算，當然知道這一點，所以他到東吳後，先來一個舌戰群儒，說服東吳同意和劉備結盟，接著玩了草船借箭這一招，保全自己的性命，也保全了劉備的生存空間。

# 龐統獻計：別以為連在一起就是航空母艦

赤壁大戰，天下豪傑齊聚，各色人物，各路高手，紛紛現身，人稱「鳳雛」的龐統也來湊了一次熱鬧，關鍵時刻坑了一把曹操，並且唆使一言不發的徐庶，也向曹操獻了一計，趁機金蟬脫殼，溜之大吉。

在《三國演義》裡，蔣幹是一個徹徹底底的倒楣鬼，每次想露一手，每次都被人設了套。蔣幹這個人，有點智商，但不高，他沒有在江東立足，而是跑到曹操那裡混飯吃。俗話說，拿人家手短，吃人家嘴短，既然端了曹操的飯碗，就應該為曹操出力。於是蔣幹毛遂自薦去東吳勸降，沒想到中了老同學周瑜的反間計，讓曹操白白損失了兩員水軍大將。

等曹操明白自己中了周瑜的反間計時，很是後悔，但並沒有殺了蔣幹來解恨。可是不殺蔣幹也就罷了，還第二次委以重任，再次派他去江東探聽虛實，這就有些搞笑了。以曹操那麼聰明的腦袋，能做出這樣的傻事，無論如何，都讓人費解。這至少說明了三個問題，第一是曹操心胸寬廣，不念舊怨，愛才惜才；第二說明曹操手下人才匱乏，連蔣幹這樣令他上過當的庸才，都得繼續使用；第三說明羅貫中為了烘托周瑜和諸葛亮的高超智謀，隱瞞了某些事實。從客觀的角度去看這個問題，第三個理由更令人信服，畢竟羅貫中的《三國演義》是一部文學作品，只要好看，怎麼寫也不為過，沒有必要完全依照歷史史實，更沒有必要遷就事實真相而削減故事的趣味性。

蔣幹二下江東，最大的收穫就是請回來了龐統，這樣弄巧成拙的事，蔣幹卻為此非常得意。他以為這次撿了個便宜，可以立功贖罪。沒想到捧回了一個燙手山芋，再次落入老同學周瑜的圈套，不僅一把火燒掉了自己的前程，還差點要了曹操的命。

龐統跟隨蔣幹到了江北，曹操自然會待為上賓，因為他久聞鳳雛的大名。曹操一大優點就是求賢若渴，只要有點名氣，不分青紅皂白，也不看看對方願意不願意，是否真心實意為自己賣命，便想一概納入自己的帳下。徐庶、禰衡、孔融，都是這類人物，現在又來一個龐統，連一點疑問都沒有，就輕信其言，接受了他的連環計，害得自己損兵折將，大敗而歸。

那麼，龐統是靠什麼言辭輕易地就說服了曹操的呢？原因有二，一是瞭解曹操的底細，知道他不習水戰，對水軍戰術知之甚少，加之實際情況是，北方人陸地上生活習慣了，上了戰船就暈船，這也給了龐統可乘之機。他的連環計，正好可以克服這個困難。

二是龐統深知曹操的弱點，自負又輕信，耳朵根子軟，只要是知名人士的話，很容易輕信。龐統先是大大地誇獎了曹操一番，讚揚曹操會用兵，拿下江東周瑜不過是輕而易舉的事情，幾句馬屁就把曹操拍迷糊了。接著話鋒一轉，提出自己會治水軍的暈船症，正中曹操下懷，於是趁機獻上連環計，讓曹操毫不猶豫地採納了。

龐統的這個計謀很簡單，就是把大船小船或三十為一排，或五十為一排，首尾用鐵環連鎖，上面鋪上木板，這樣就像航空母艦一樣平穩了，不僅可以載人，就連戰馬在上面也沒問題。此計最要命之處在於，眾多木製船隻拴在一起，行動不便，一旦著起火來，根本無法撲救。正是有了這一個弱點，才讓周瑜順利實現了火攻之計，把曹操的幾十萬大軍，付之一炬。

龐統出了這樣一個損招之後，又想了個點子，順利開溜，臨逃時，被徐庶逮了個正著。徐庶當然看穿了他的把戲，以不舉報做為交換條件，徐庶讓龐統給自己想一條脫身之計。龐統給他出主意讓他向曹操請求去守西北，得到曹操的許可後，徐庶便不見了蹤影。

對於龐統這個人，我還是很討厭的。所謂士為知己者死，孫權雖然知道鳳雛的名號，但他有周瑜，所以沒有用龐統。劉備剛開始只讓龐統做了一個縣令，後來不久就戰死了。而曹操一開始就對他敬為上賓，言聽計從，所有軍事情報都不保密，請問這樣的主公難道不是龐統應該選擇的嗎？不僅如此，他還獻了一個置曹操於死地的連環計，實在是小人至極。可以說，火攻燒的也許不僅僅是曹操的八十萬大軍，還燒掉了曹操對人才的信任。

# 周瑜縱火：談笑間檣櫓灰飛煙滅

經過蔣幹中計、草船借箭、黃蓋苦肉計、闞澤詐降、龐統獻連環計、諸葛亮借東風等一連串計謀的鋪墊後，火燒赤壁這場抗曹戰鬥中的壓軸戲，隆重上演了。周瑜放火，水到渠成。過程很簡單，效果卻出奇地好。黃蓋帶領詐降的快船隊，雖然被程昱看破，但為時已晚，二十多條快船藉著東南風的風勢，快速衝進曹營的艦隊之中，放起火來。風借火勢，火助風威，很快曹操的軍港就變成了一片火海，加之曹軍的戰船連在一起，無法行動，其慘狀自然不用贅述。

整個抗擊曹操的過程，周瑜都表現得非常優秀，他的戰略思想和戰略意圖非常明確，就是用智取而非強攻。這一仗，幾乎動員了當時天下所有知名謀士的力量，集天下謀略之大成，才徹底擊退了曹操。就連名不見經傳的蔣幹，都派上了用場，發揮了至關重要的作用，間接助了周瑜一臂之力。謀士的奸詐和狡猾，表現得淋漓盡致，也讓一代奸雄曹操吃盡了苦頭，遭遇出師以來最大的敗績。

可以這麼說，火燒赤壁是周瑜聯合諸葛亮等眾位謀士，硬生生地把曹操騙迷糊的，這不是一場軍事實力的勝利，而是一場陰謀詭計的勝利。當然，決定一場戰爭的勝負因素很多，天時地利人和缺一不可，曹操得天時而不得地利人和，雖然打著仁德正義的大旗，但仁德不仁，正義不正，掛羊頭賣狗肉，假借天子名號，欲行稱霸全國的野心。這樣的正義，自然就大大打了折扣。無論是孫權、周瑜，還是劉備、諸葛亮，也都非常清楚這一點，所以他們抓住曹操不善智謀的弱點，用了一連串的連環計，環環緊扣，最後把曹操裝進了圈套裡，一把火燒了個精光。

周瑜是火燒赤壁的總指揮，前後調度有方，各種計謀的運用，也恰到好處，不僅激發了老將黃蓋的潛能，還促使諸葛亮發揮自己最大的能量。草船借箭、借東風這些表演雖然是由諸葛亮完成的，但不可否認，也是周瑜壓迫式打法的結果。在調動、整合和運用各種資源上，周瑜也很有一套。這裡可以列出一長串的名單，從蔣幹、蔡中、蔡和、黃蓋、闞澤，到魯肅、諸葛亮、龐統，所有的人都被周瑜玩弄於股掌之上，為自己出力賣命。在這個連環套裡，每一個環節都至關重要，不能出現任何紕漏，有一點的疏忽，都有可能前功盡棄。

把火燒赤壁放在三國的背景裡看，周瑜此舉具有非凡的意義。智謀是羅貫中極力推崇的，整部小說幾乎都是在顯示智謀的作用，甚至把智謀凌駕於道德、軍事、經濟的作用之上。火燒赤壁，周瑜將智謀發揮到了極致，雖然羅貫中在其中穿插了很多諸葛亮的戲，但也只是配角。周瑜不死，主角永遠輪不到諸葛亮。

可是具有諷刺意味的是，周瑜的智謀總是落於諸葛亮之後，與諸葛亮的鬥智中，顯然處於了下風。這一切都拜羅貫中所賜，不僅如此，他還把周瑜的功勞全算在了諸葛亮的身上。連曹操都間接地承認：「孤燒船自退，橫使周瑜虛獲此名。」認為自己的對手是周瑜，而沒有諸葛亮的份。可見，歷史有太多的糊塗帳，要想找出真相，還不是一件容易的事。

兄弟來給你壯膽

# 第九章

# 三國鬥法之借屍還陰魂

## ——三鍋鼎立水煮魚

# 聯吳抗曹：兄弟來給你壯膽

如果沒有諸葛亮和周瑜，可能天下就不會三分了。時勢造英雄，三國時期，以長江為界，基本上是三個國家兩大勢力的爭鬥。傳統的以仁德為主體的中原勢力和以智勇為主流的江南勢力，各自都無法形成壓倒性的優勢，所以皇權不能統一，國家處於分裂狀態。而江南雖然同樣以智謀立身，由於細節觀念的不同，又分為兩種勢力，形成兩個國家，東吳的孫權勢力和西蜀的劉備勢力。這兩個國家，智謀都最有影響力。無論是東吳的周瑜、陸遜，還是西蜀的諸葛亮，都是決定國家命運的智慧型人物。

孫吳聯盟的基礎，就是共同抗拒曹操，如果沒有強大的曹魏盤踞北方虎視眈眈，孫劉兩家早已打得頭破血流，你死我活了。合兩家之力，基本上能與曹魏保持平衡。東吳的孫策、孫權、周瑜、魯肅、陸遜等人，都是一等一的人才，西蜀的劉備、諸葛亮、關羽、張飛、趙雲也非等閒之輩，兩家聯合，各自發揮各自的優勢，互為犄角，與曹操隔長江而對峙，令曹操無可奈何。

說起孫劉的聯合，也是充滿曲折。劉備在遇到諸葛亮之前，壓根就沒有想過與東吳的孫權聯合，他信奉忠孝仁義，很瞧不起江東人士的小聰明。劉備先後投靠曹操、袁紹、呂布、劉表，就是沒想過投靠孫權。

在他的眼裡，打天下還是要靠民心和軍事實力的。後來被打的到處流竄，沒有安身立命的地方，才想到要找一個謀士。於是三顧茅廬請出諸葛亮，並且諸葛亮《隆中對》裡的一席話，讓他茅塞頓開，明白只有聯合東吳，才有可能找到生存的機會。經過魯肅從中間撮合，諸葛亮前去與孫權和周瑜談判，讓他發覺到大敵當前，雙方只有合作才能取勝。

由於諸葛亮在赤壁之戰中的突出表現，使得孫劉聯盟更加鞏固，同時也埋下了紛爭的禍根。很多人認為周瑜是嫉妒諸葛亮的才能，所以一而再再而三地想除掉他，其實這是小看了周瑜，沒有誰比周瑜更清楚諸葛亮對東吳的威脅了。

後來的事實也證明了周瑜的判斷是正確的，赤壁之戰後，諸葛亮很快就唆使劉備霸佔荊州，讓東吳失去了西部的屏障，整個國家的安全受到極大的威脅。而且在與諸葛亮的較量中，東吳損失慘重，可以說是賠了夫人又折兵。

孫劉關係一直磕磕絆絆，原因是劉關張為代表的西蜀正統人士，從內心裡很看不起東吳，特別是關羽和張飛。有一次東吳派諸葛瑾來荊州向關羽求親，請求關羽把女兒嫁給孫權的兒子，透過聯姻來鞏固吳蜀聯盟。這樣的事，成不成在於兩相情願，即使不同意，人情還在。

沒想到關羽竟勃然大怒，說出了「虎女安肯嫁犬子」這句話，還要砍媒人的腦袋。連曹操都讓孫權三分，並且懷著敬佩之情說出「生子當如孫仲謀」的讚語，做為盟友的關羽竟如此倨傲狂妄，根本不把吳蜀聯盟視作蜀國的生命線，不是暴發戶般的小人得志，便是自戀的不可救藥了。

正因為他太小看東吳了，所以呂蒙稱病，他不信有假；陸遜謙卑，他不信有詐；荊州失陷，他不信其真；糜、孟背叛，他不信其事。結果敗走麥城丟了腦袋，還害得劉備讓陸遜火燒連營，最後也賠上了性命。

在吳蜀之間的智謀較量中，各有輸贏。周瑜與諸葛亮的數次較量都落了下風，被騙走了荊州，騙走了孫權的妹妹，還被諸葛亮活活氣死了。但到了陸遜時期，吳國明顯佔了上風，奪回荊州，斬了關羽，火燒了聯營，令劉備一命嗚呼。這裡面一直令人費解的是諸葛亮的態度，不知道他的智謀確實不如陸遜，還是消極應對，另有企圖。這麼大的一次危機，關乎蜀國存亡，諸葛亮竟然沒有一點預判，沒做任何的準備，而且劉備伐吳，他也沒有跟隨。總之，在吳蜀衝突中，諸葛亮一直謹慎地維持著吳蜀之間的關係。即便有火燒連營的深仇大恨，劉備死後，諸葛亮也很快主動與東吳重修舊好，結盟抗曹。

客觀地說，劉備的西蜀是藉助東吳的力量逐漸發展起來的，而且只有吳蜀聯盟才能對曹魏形成有效的牽制。兩家相依為命，既鬥爭又聯合，是彼此的生存之道。不如此，任何一方都會被強大的曹魏吞掉。

# 曹丕稱帝：我不是小鬼當家

曹操控制北方多年，大權在握，挾天子以令諸侯，打著皇帝的旗號，號令天下。但他卻一生未稱帝，在死前不久，孫權還遣使上書，建議他「早正大位」，曹操說：「是兒欲使吾居爐火上耶！」這足以說明曹操一生不敢染指皇帝之位的心態。

如果他廢漢獻帝自立，第一，諸侯會聯合起來反對他；第二，整個士族階層會成為他的對立面。其實，他也未嘗不想當皇帝，可是一看手下的首席謀士，最忠心耿耿的荀彧、荀攸叔侄，連他稱王都持反對態度，也只好抑制住了這個慾望。這也是曹操的高明之處，不奪皇帝之位，而擁有皇帝的權力，既撈取名聲，又得到了實惠。但到了他的兒子曹丕接班時，在諸侯大都順服，士族基本歸心的客觀情勢下，與其輔主為臣，不如篡漢自立。於是，曹丕一腳踢開了漢獻帝，自己當了皇帝。

曹操以仁德立國，但他卻被羅貫中寫成了不仁不義的大奸大惡之徒。但從曹操的威望來說，還不至於如此不堪，否則如何令中原歸心，一統北方數十年，而且民心穩固，勢力逐漸強盛。同時，曹操在治國方略上，重民生而輕仕宦，不依賴士族名門，走的是平民路線，贏得了民心。曹操自己也非常清楚，並多次說過，自己不能當皇帝。那樣的話，自己幾十年的忠君形象就會被破壞掉，士大夫階層就會找到藉口，群起而攻之，進而打破了各種政治勢力間的平衡，失去政權的基礎。

曹丕顯然沒有繼承他爹的衣缽，在治國方略上，更加倚重名門望族。挾天子以令諸侯的把戲對他來說，用處不大，他也不需以此來博得名聲，他需要的是貴族階層的實際支持。不過曹丕的重門第的策略，也為魏國留下了禍患，司馬家族的崛起，就與他這種國策的改變，有著直接的關係，最後篡奪了曹氏政權，而取而代之。

曹丕稱帝，徹底撕下了漢王朝的最後一塊遮羞布，其中最受益的是劉備，間接地成全了他的皇帝夢，這是劉備夢寐以求的事情。曹丕不廢掉漢獻帝，那麼天下就姓劉，劉備就算想當皇帝，也不敢篡奪他劉家的帝位，好歹他也是劉姓皇族子孫，還自稱為皇叔。這樣一來，曹丕做了劉備的清道夫，為劉備當皇帝掃清了障礙。

所以，當得知曹丕在北方一稱帝後，劉備就迫不及待地在成都為自己弄了個龍椅，坐了上去。表面上看，劉備是為了保持大漢的正統地位，其實不過是掩人耳目，滿足他自己的皇帝大夢而已，雖名正言順，但已經是名不副實。

綜觀當時天下的局勢，曹丕稱帝，是時勢發展的必然。經過一段時間的僵持，魏蜀吳三國政權都已經相對穩定，誰也吃不掉誰，東漢王朝的存在已經沒有任何意義，對實際政治權力的需求來說，已經成為一種障礙。曹操一死，正是捅破這層窗戶紙的絕好機會，曹丕、劉備和孫權也都順水推舟，把自己屁股安放在了龍椅上。至此，天下三分，從形式和內容上都得到了統一。

由於受貶曹揚劉思想的影響，羅貫中筆下的曹丕，形象也不怎麼樣，跟他爹一樣，被歸到了壞人的行列。在與弟弟曹植爭權奪利的鬥爭中，逼迫曹植寫出七步詩，殘忍的本性天下聞名。後來先是和漢獻帝玩了一次貓捉老鼠的遊戲，假惺惺地讓他將皇帝的位置禪讓給自己。接著裝模作樣的拒絕，漢獻帝禪讓三次才接受。意思是我本不想當皇帝，可是漢獻帝認為我比他更適合，非讓我當不可，沒辦法，盛情難卻，雖然受之有愧，但不能駁了皇帝的面子。

在曹丕當皇帝這件事上，按羅貫中的說法，華歆發揮了很大的作用。他親自出馬，逼迫漢獻帝將皇位禪讓給曹丕，開始漢獻帝很不情願，華歆就抓住漢獻帝的衣領子威脅說，「你要不把皇帝的位子讓給曹丕，你會死的很難看。」漢獻帝可不願意為了一個皇帝虛名，送了自己的性命，於是，只好答應了華歆的要求。

曹丕建立了魏國，徹底擺脫了東漢王朝的束縛和影響，政權逐步穩固，並且得到貴族士大夫的大力支持。從這以後，北方的經濟得到了一定發展，魏國的國力逐步提升，為後來司馬氏統一全國，奠定了基礎。

客觀地說，曹丕絕對是一個玩轉政治的人物。由於自己的位置差點讓弟弟曹植坐了，他上臺後當然不能輕易就算了。但是他首先解決的卻是鄢陵侯曹彰，因為曹彰握有兵權，不能稍有放縱，只有逼他交割出軍馬，方才甘休。大權在握之後，曹丕才有閒情雅興，逼迫曹植在七步之內寫出詩來進行遊戲消遣。在他主政魏國政權時期，孫權和諸葛亮也沒敢小瞧他，三國進入了相對平穩的時期。

# 孫權霸江東：其實我也想當皇帝

曹丕廢掉漢獻帝，自己當了皇帝，孫權當然不服氣了，但懼於曹丕的勢力，一時只能老老實實地忍著。後來劉備也效仿曹丕，自稱皇帝，孫權就更加不服氣了，但還是不敢輕舉妄動。直到劉備和曹丕都進了陰曹地府，他才過一把皇帝的癮，號稱吳大帝。

東吳是最缺乏擴張力的國家，從孫氏集團統治江東開始，就比較保守，孫堅響應曹操的號召北上勤王，撈了個皇帝的印信，就跑回了江南，沒有一點爭奪天下的雄心。在三國之爭中，也一直處於守勢，如何保全江東，維護自己的既得權益，是孫權為代表的一干人士的主要思路。如果不是出了孫策和周瑜這兩個人物，孫權在江東也就是個太守級別，想和曹操平起平坐，恐怕比登天還難。

孫策和周瑜打天下，孫權守天下，他是接哥哥的班。當然，孫權也不是一個平庸無能之輩，赤壁大戰前，曹操百萬大軍壓境，東吳群臣大多主張投降，他最終還是聽了周瑜和諸葛亮的勸告，毅然舉兵抗曹。俗話說，小富即安，江南的富庶，讓這裡的人十分愛惜生命，對待戰爭，他們更喜歡玩智謀，禦敵於國門之外，不戰而能屈人之兵，是他們理想的追求。東吳以智勇誠信立國，雖然在誠信上很多時候做的是表面文章，但借荊州，嫁孫尚香，還是表現了一定的誠信，儘管是不情願的誠信。

智謀與誠信結合起來，威力就會大增，只有如此，孫策才能用皇帝的印信從袁術那裡騙來兩千精兵；周瑜安排闞澤和黃蓋詐降、龐統的連環計，才能徹底欺騙了曹操；陸遜才能從關羽手裡輕易地奪回了荊州。而且東吳的智勇，有一定的傳承性。智在先，勇在後，孫權之後，智無陸遜那樣奇才，勇無黃蓋那樣的猛士，漸漸失去立國的根基，最後也土崩瓦解了。

其實，孫權雖然對曹丕稱帝心存不服，但要自己當皇帝，還是心虛的。當劉備稱帝後，舉全國之兵攻打東吳時，他立刻向曹丕稱臣。在陸遜火燒連營打敗劉備後，曹丕派司馬懿攻打蜀國，東吳也做為四路大軍之一參加對蜀國的戰爭。後來諸葛亮派鄧芝說服了孫權，吳蜀再次聯盟。

沒幾年後，曹丕一命嗚呼了，這時，孫權才覺得自己終於熬出了頭，於是在南京黃袍加身，宣告自己當上了皇帝。孫權在對待曹魏的立場上，顯然沒有劉備堅決，就像一棵牆頭草，一看風向不對就立即掉轉方向，趨利避害幾乎不講原則。他數次向曹魏稱臣，又數次與蜀國聯合，在魏蜀之間搖來擺去，這樣的立場，使得東吳只能依賴蜀國生存，蜀國被滅，他的好日子也就到頭了。

同樣是南方的國度，吳蜀兩國為什麼差別如此之大呢？原因是領導者的氣質差別。蜀國雖然地處西南，但劉關張和諸葛亮等人，都是北方人，北方人性格的剛烈，註定他們不會像東吳人那樣充滿柔性和韌性。孫權對稱帝一直小心翼翼，直到他認為十分穩妥的時候，看清了認準了才行動，這一看一認，就拖了好多年。孫權稱帝時，天下還算太平，曹睿剛當皇帝不久，屁股還沒有坐穩當，諸葛亮忙著恢復國力，平定後方，這樣自己能安穩地過幾年皇帝的好日子。

在魏蜀吳三國的首創者中，曹操沒當過一天皇帝，劉備只可憐巴巴地過了兩年皇帝癮，倒是孫權在南京，當了二十三年皇帝。可見，小心駛得萬年船這句話，還是有道理的。

# 劉備登基：我才是正統

在曹操、孫權和劉備三個人當中，最有皇帝癮的大概就屬劉備了。他從小就做著當皇帝的春秋大夢，而當機會真的來到面前時，最拿架子、最扭捏的，卻還是他。

在此之前，劉備之所以無法當皇帝，都得怪曹操。他把皇帝養了起來，既不殺也不廢，這就給劉備出了難題，設了一個大障礙。有皇帝在，他永遠只能稱臣，因為他不能篡奪他劉家自己人的皇位，那樣他忠孝仁義的美名就將不復存在，他可不敢拿自己安身立命的資本開玩笑。

曹操這個老對手一歸天，他的兒子曹丕立刻廢了漢獻帝，自己當了皇帝。這下劉備才算等到了機會，他先做了一把秀，哭個死去活來，然後就假裝稱病，閉門不出，把國事託付給諸葛亮全權處理。誰要勸他當皇帝，他就大怒，把誰痛罵一頓。

諸葛亮當然清楚他的心事，知道他是面子上抹不開，就想出計策給他找了個臺階。於是就對劉備說，「國家不能一日無君，曹丕屬於亂臣賊子，他當皇帝不算數」，又說「漢獻帝已經被曹丕害死了，除了你，再沒有合適的皇帝人選了。再說了，你是皇叔，你當了皇帝，天下人自然擁戴，民心都會向著你，你應該肩負起匡扶漢室的大任，你推托了，才是對劉家的江山不負責任。」經過這麼三番五次的折騰，劉備終於半推半就，扭扭捏捏地坐在了龍椅上，像模像樣地當起了皇帝。

劉備當了皇帝後，也沒做過什麼精彩的事。當皇帝前，荊州被東吳陸遜奪去，最可惡的是，呂蒙還殺了他的結拜兄弟關羽，關羽對於他的重要性，顯然比天下百姓重要得多了。為了給關羽報仇，他的另一個結義兄弟張飛也被手下人砍了腦袋，這兩個人被殺，對他來說是最大的打擊，所以什麼事情不做，他也要討伐東吳。

桃園三結義時，三人曾發下誓願，不求同年同月同日生，只願同年同月同日死。如今兩個兄弟被人害死了，自己大權在握，如果不能為他們報仇，豈不是讓世人笑掉大牙嗎？不論是為了感情、為了面子，還是為了名聲，他都必須不惜血本地去討伐東吳。如此為了私人情感，而拋棄天下大計而不顧的舉動，當然不會獲得好的效果，不僅被陸遜火燒了連營，打了個大敗仗，最後還賠上了自己的命。

很多人都會提出這樣一個假設，那就是劉備當了皇帝後，聽從諸葛亮的勸告，沒有去討伐東吳，為關羽報仇，那將會出現一種什麼樣的局面。當然，歷史沒有假設，但我們可以從故事的角度去探討這個問題的可能性。

其實，從劉備的性格上看，他並不具備一個優秀帝王所應該具備的素質，雖然他很會作秀，容易贏得民心，但沒有大局觀，常常在關鍵時刻拿捏不準取捨，認不清最該做什麼，最不該做什麼。

他的出身相對於曹操官僚子弟和孫權土豪鄉紳的身分而言，性格中先天就存在目光短淺，患得患失，貪小失大等缺陷。周瑜對這個位居荊州的梟雄十分瞭解，知道所謂的「皇叔」劉備，只不過是在黃巾之亂中衝殺出來的草莽罷了。

所以，在建安十五年，周瑜用計將劉備騙到東吳成婚時，就曾建議孫權說：「劉備以梟雄之姿，而有關羽、張飛熊虎之將，必非久屈為人用者。愚謂大計，宜徙備置吳，盛為築宮室，多其美女玩好，以娛其耳目。」結果，劉備果然中招。要不是知識分子出身的諸葛亮提前對趙雲做了錦囊妙計的安排，我們這位劉皇叔恐怕在東吳老丈母娘家住下來不走了。

劉備究竟是不是中山靖王劉勝之後，史書上只是稱其「湮沒無考」。被封為皇叔，也不過是漢獻帝不甘心被曹操玩弄於股掌之上，心裡總是存有復辟的念頭，才認這個本家的，以為能給自己提供奧援。劉備也正想藉此抬高身價，自然大做文章，撈取政治資本。

他這個人，所以不如曹操那樣成其大事，就是有時候，難免感情用事。感情是可貴的，但若是看不透人世的本質，濫用感情，反而會被感情所誤。如果說逃離新野帶上百姓是為了贏得民心，還說得過去，但不接受劉表轉讓荊州，就有些迂腐了。再就是為關羽報仇這件事，如果他不這麼做，那麼整個三國，甚至整個古代歷史，都要改寫了。為什麼這麼說呢？如果他不興兵伐吳，而是一門心思地把精力用在發展經濟，改善民生上，也不會遭遇火燒連營的重創，蜀國更不會早早滅亡。

劉備當了皇帝，客觀上為諸葛亮提供了一個盡情表演的舞臺。他這個皇帝當的很匆忙，走的也很匆忙，屁股還沒把龍椅捂熱，就來了個白帝城託孤。從此，諸葛亮名正言順地以一個國家的名義號令天下，六出祁山，北伐中原，唱起了獨角戲。羅貫中寫三國的一個重要目的，就是為了表現一個義字，讚揚的就是劉關張三兄弟的義薄雲天，至於能不能當好皇帝，那不是他要考慮的問題。所以，《三國演義》中的劉備，是成功的劉備，但與皇帝無關。

# 間吳抑蜀：誰也別玩過界

三國紛爭，也並非總是吳蜀聯合對付曹魏，有時候曹魏也會用些小伎倆離間吳蜀之間的關係。有趣的是，三國之間，吳和蜀，吳和魏都聯合過，唯獨魏蜀之間，從來沒有合作過，是真正的死對頭。這樣一來，東吳夾雜其間，就成了潤滑劑，維持著三國之間的平衡。

吳蜀之間相依為命，唇亡齒寒，只有聯合起來，才能在與曹魏的鬥爭中生存下去。所以，孫權、周瑜、魯肅、劉備、諸葛亮等人都是孫劉聯盟的堅定支持者。但曹魏對孫劉的離間，卻一直沒有中斷過。赤壁大戰後，由於劉備借去荊州不還，諸葛亮又氣死了周瑜，吳蜀間的矛盾開始加劇，曹操認為有機可乘，就去攻打孫權，本以為劉備和諸葛亮會袖手旁觀，沒想到孫劉還是走在一起。

諸葛亮利用這個機會不僅使孫劉重歸於好，還趁機收服了馬超，壯大了劉備的力量。最有意思的是，本來益州的劉璋派張松出使曹魏，想把西蜀獻給曹操，結果曹操看不起張松，嫌棄他高傲自大，揭自己的短處，要砍了他的腦袋，多虧楊修等人求情，才免於一死，被亂棍打出。結果張松在回去的路上，被諸葛亮請去，接著把劉備引入了益州，陰錯陽差，成全了劉備的好事。

劉備去了益州，孫權想趁機奪回荊州，無奈吳老國太不同意，怕傷了她的寶貝閨女孫尚香，這又上演了一齣趙雲和張飛截江留阿斗的好戲。曹操知道後，便領兵來攻打孫權，可是久攻不下，進退兩難，這時孫權修書一封給曹操，要求退兵，正好給了曹操一個臺階。

曹操退了兵，孫權又想了一個讓劉備無法再回荊州的計策，促使劉備攻打益州，沒想到半路上損失了龐統，諸葛亮只好前去救駕，將荊州留給關羽把守，這為後來陸遜奪回荊州埋下了伏筆。

曹操看到劉備取得了西川，就派兵攻打漢中的張魯，很快地拿下了東川，準備一鼓作氣拿下西川，消滅劉備。這時候，諸葛亮勸說劉備歸還江南三郡給孫權，與東吳重修舊好。曹操一怒之下，又去攻打孫權，孫權求和納貢，曹操再度罷兵。曹操安撫了孫權，回過頭來又用兵漢中，與蜀軍展開了一場爭奪戰。

趁曹軍與劉備激戰正酣，孫權又開始謀劃奪回荊州，於是發生了陸遜用計騙關羽，讓他北上幫助劉備攻打曹操，而自己趁機奪回荊州，並逼迫關羽敗走麥城被殺，導致後來孫劉反目成仇等故事，又一次掀開了孫劉爭鬥的序幕。

劉備死後，曹丕招降了孫權，封他為吳王，並聯合他一起攻打蜀國。諸葛亮盡釋前嫌，再次主動與東吳示好，兩國重新結成聯盟，在諸葛亮六出祁山時，孫權還派兵助戰，結果被曹軍打敗。司馬氏奪取魏政權後，把主要精力用在了攻取蜀國方面，孫權趁機當了皇帝，過了幾天安穩日子。孫權一死，東吳政權也很快被司馬氏消滅。到此，三國鼎立的局面徹底土崩瓦解。

魏蜀吳三國之間，時而孫劉聯合，時而曹魏間吳抑蜀，三國爭來鬥去，弄得戰亂不休。在古代，

以長江為界，劃江而治的朝代很多，一般情況下，都是江北政權處於攻勢，江南政權處於守勢。原因是江北政權一旦出現危機，流亡政府就跑到江南避難，把江北留給後來更強大的進攻者。

三國時期江南孫劉兩大割據政權，雖然從表面看，有很大差別，但在骨子裡還是有共同點的。東吳柔弱，劉備白手起家，靠巧取豪奪謀得一席之地，根基不牢，兩股勢力又都過於倚重權謀，綜合國力都不是很強，多數靠投機取巧才能謀得小的勝利，維持自己的生存。所以，兩股力量聯合一起，才能與江北的曹魏政權分庭抗禮。

曹操當然明白這個道理，他對孫劉各自的特點也有非常深入的瞭解，故而在對待孫劉的問題上，採取了不同的態度。他知道東吳孫權柔性有餘而剛性不足，故而時常打一打，壓一壓，偶爾拉攏一下。劉備是北方流竄過去的悍匪，脾氣又臭又硬，並且死不悔改，所以只要有機會就堅決打擊，絕不會有一絲拉攏安撫的意思。間吳抑蜀，是他對待兩國的基本態度和方針。

單騎救主

第十章

# 三國鬥法之抽梯曬好漢

——大意失荊州，弄得無路走

# 皇叔躍馬過檀溪：不僅僅是傳說

自古英雄人物，必有一個離奇的經歷，劉備既然被認為是天下少有的大英雄，為他製造一個神奇的傳說，也是理所當然的事情。劉備前半生到處逃竄，難有安生的日子。投靠袁紹被趕出後，劉備領著關羽、張飛和趙雲，又去投靠劉表，劉表是他同宗兄弟，肯定不會對自己下黑手的。這一點劉備雖然沒有猜錯，但他沒想到劉表是個妻管嚴，嫂子蔡夫人卻不能容他，要除之而後快。原因也很簡單，就是劉表要廢長立幼，想讓蔡夫人的兒子當繼承人時，劉備說了壞話，沒想到被蔡夫人在屏風後面聽到了。結怨蔡夫人，使劉備這個倒楣蛋再次陷入被人追殺驅趕的尷尬境地。

《三國演義》這部小說，相當大男人主義。劉備就曾說過，妻子和衣服一樣，破了可以換新的。獵戶劉安很早就對劉皇叔仰慕至極，他為了招待劉備，竟然把自己的妻子殺掉，割其臀部的肉炒著給劉備吃。劉備知道此事後感激涕零，賞給劉安許多財物錢幣。書中女性很少，除了貂蟬外，比較有故事的就是這位蔡夫人了。她很了不起，安排人手，準備把劉備幹掉。儘管劉表也覺得收留劉備未必妥當，可是沒有下逐客令，但對妻子蔡夫人那種不除掉劉備不甘休的努力，也就睜一隻眼，閉一隻眼了。

就在劉備生死攸關之際，羅貫中見縫插針，即時地給他編排了一個傳說，那就是劉皇叔躍馬過檀溪，以此來彰顯劉備非同常人的英雄主義色彩。

說起劉備躍馬過檀溪，羅貫中也是預謀已久，做了很多的鋪墊。先是寫劉備剛剛投靠了劉表，劉表的手下就有人造反，劉備初來乍到寸功未立，就主動請戰，恰巧造反的人騎了一匹好馬，被趙雲搶了過來獻給劉備。劉備沒有自己騎，而是送給了劉表。不料，劉表的謀士蒯越認為此馬「眼下有淚槽，額邊生白點，名為『的盧』，騎則妨主。」還說原來的馬主人就是騎著牠被趙雲砍了頭的。嚇得劉表趕緊找藉口將馬還給了劉備，並趁機把劉備打發到新野去守城，怕他在荊州使壞。

劉備騎上的盧馬準備去新野上任時，劉表手下一個叫伊籍的人，悄悄找到劉備說，這匹馬劉表害怕妨主才還給你的，你也別騎了。劉備聽了說，人生死有命，豈是馬能妨得了的？伊籍聽了佩服異常，從此和劉備關係很好，關鍵時刻還救了他的命。

蔡夫人既然想除掉劉備，辦法總是有的。她的弟弟蔡瑁想出了一個點子，趁著秋收時節，建議劉表大宴百官，以示答謝。此時劉表患病，必然會讓自己兒子代替，那樣就可以趁機殺掉劉備。果然，劉表答應了這件事，不僅讓兩個兒子替自己出席宴會，還囑咐兒子請劉備替他主持宴席。這樣一來，正中蔡夫人的下懷，於是，蔡瑁辦了一次鴻門宴。

這麼大的事，既然是劉表相托，劉備當然不能不去，他讓趙雲帶上三百人的衛隊，就去赴宴了。那邊，蔡瑁早已安排好了刀斧手，東南北三面城門也已派兵把守，就等蔡瑁一聲令下，甕中捉鱉了。

蔡瑁等人知道常山趙子龍的厲害，要除劉備，必先過趙雲這一關，於是他安排手下人，把趙雲騙到另一個屋子裡去喝酒。酒席宴上，伊籍來敬酒，趁機給劉備使了一個眼色，劉備就打著上廁所的幌子跟了出來，伊籍告訴他，蔡瑁已經埋下了伏兵，讓他立刻從西門逃跑。

劉備是一個逃跑的行家，聽了這話，立刻騎上的盧馬，直奔西門而去。蔡瑁發現劉備跑了，急忙帶領五百人馬，在後面緊追不捨。跑到檀溪邊，劉備一看前無去路，後有追兵，當即一狠心，勒馬跳進了檀溪，並加鞭大呼：「的盧！的盧！今日妨吾！」只見的盧馬飛身一躍，來了個天馬行空，一下子就躍到了對岸。躍馬過檀溪的傳說，就這樣精彩地誕生了。

正是有了躍馬過檀溪的這個故事，才引出了劉備遇到司馬微，就是那個水鏡先生，向他推薦諸葛亮和龐統，由此拉開了劉備精彩的後半生。

很多人可能並不明白劉備躍馬過檀溪的真實用意，以為不過是在神化劉備，為他增加人氣指數和人格魅力。這只是其中最無關緊要的一層意思，更重要的是這件事的象徵意義，象徵劉備一次飛龍在天的大蛻變，命運開始出現大轉折。

北宋蘇東坡造訪該地時，曾寫一篇有關劉備躍馬檀溪之詩，將的盧馬視為寶馬龍駒，並稱讚的盧馬得遇劉備，有如英才得遇明主。綜觀劉備的一生，正是檀溪這一躍，使他真正達到了一個超脫常人的新境界。

# 趙子龍單騎救主：為政治秀買單

劉備的逃跑主義路線，曾讓手下的弟兄吃了不少苦頭。在投靠劉表後，他引兵駐紮新野，曹操一來，還得捲舖蓋逃竄，他自己逃跑就算了，還帶著滿城的百姓跟他一起逃走，以此來檢驗自己的號召力。這樣的糗事，也就他劉皇叔做得出來，打仗又不是玩遊戲，自己送死就算了，還弄上一群老百姓來陪葬，表面看好像是體恤民情，愛護百姓，其實這不是把百姓往火坑裡推嗎？弄巧成拙，不僅坑害了全城的百姓，還賠上了自己的妻子。

這次逃跑，負責保護劉備妻兒的人，正是趙雲。可是弄了一群百姓跟隨，卻害慘了趙雲，他顧了這頭顧不了那頭，很快，就把劉備的兩個妻子和兒子阿斗給弄丟了。趙雲只好拔馬回頭去找，弄得劉備手下的人還以為他是投降曹操去了，張飛更是存不住氣，拍馬去追趕趙雲，要把他捉回來。趙雲當然不是去投降曹操，他是去履行自己的職責，為劉備尋找妻兒，他要為劉備的荒唐作秀買單。他先找到了劉備的妻子甘夫人，讓別人護送了回去，自己又去找糜夫人和阿斗。

這時候，糜夫人抱著小阿斗躲在一堵斷牆後。趙雲找到母子二人時，手下人都已經被殺光，只剩下他單槍匹馬一人了。一匹馬，只能一個人騎，糜夫人知道，劉備現在就一個兒子阿斗，他的重要性，要比自己大得多，便趁著趙雲不注意，一頭投進枯井裡。趙雲一看糜夫人投井了，擔心別人撈出糜夫人的屍體去邀功，就推倒堵牆，把枯井掩埋上。接著解開鎧甲，把阿斗揣在懷裡，穿戴妥當，騎上戰馬，開始和追趕的曹兵廝殺。

等趙雲殺出重圍，正好張飛趕到，攔住追兵，趙雲自己去見劉備，把情況向劉備粗略彙報了一遍後，才突然感到剛才還哭叫的阿斗沒了動靜，以為死了，急忙從懷裡抱出來一看，原來是睡著了。他將孩子遞給劉備，劉備接過後當即就扔到了地上，故作發狠地說，「為了你小子，幾乎損我一員大將，要你何用！」

其實看到此，稍有常識的人都明白，劉備在作戲給趙雲看。而另一個當事人趙雲，則早已感動得涕淚皆下了。這就是著名的歇後語「劉備摔孩子——收買人心」的來歷。由此可見，劉備摔孩子的行為從本質上來說是虛偽的，但從這件事所產生的實際效果來看，至少也是一種美麗的虛偽。既然稱得上是「美麗」，說明這樣的虛偽還是為人所看好，最起碼他虛偽的頗有水準。

趙雲單騎救主，起因是劉備的政治作秀，他的妻兒混在平民百姓中間逃命，不僅不安全，還賠上了糜夫人性命。抓取民心的手法，要看什麼時候，什麼時機，還要看採取什麼樣的方式。軍隊撤退和老百姓混在一起，那仗還怎麼打，是掩護百姓，還是拿百姓當盾牌？表面是關心百姓，其實是在坑害百姓。結果也是如此，十幾萬百姓被追殺，死傷大半，流離失所。假如留在城中，一般情況下，曹操的軍隊也不會屠城，那生存的機率還會大些。

即便曹操不殺他們，放他們和劉備一起逃走，最後在哪裡落腳？十幾萬流民該如何安置？這是一次大搬遷，牽扯到多方面的因素，所以劉備這麼做，不僅愚蠢，而且危害巨大。對政治家來說，無永久的朋友，也無永久的敵人，一切以自我利益為最高原則，尤其是其中的利害關係，更是劃分敵友界限的最高標準。傳統的道德觀念，和中國人舊有的文化心理，以及禮義仁智信、溫良恭儉讓的孔孟之道，顯然只能放在口頭上說說，要是當真，所謂的王圖霸業，就會因為迂腐而喪失殆盡。

阿斗剛一出生就經歷這樣一件事，作者的寓意就是讓他植根於平民百姓之間，贏得民心，獲得民眾支持。很可惜，他根本融入不了，官二代是無法體會到民間疾苦，也無法忍受民間疾苦的。

單騎救主，救出的是大漢王朝的最後一絲希望，可惜的是，肩負著匡扶漢室重任的卻是扶不起來的阿斗，實在有些荒誕。

# 關雲長單刀赴會：一場不對等的談判

諸葛亮矇騙魯肅，讓孫權把荊州借給了劉備，魯肅從中做保人。魯肅有眼光，識大局，但他沒想道這一借，成了肉包子打狗，有去無回了。

劉備打下西川，依舊佔著荊州不還，俗話說，有借有還再借不難，如此賴帳，實在太不仁義了。當初劉備像喪家犬一樣到處流竄，沒個落腳的地方，孫權才借給他荊州，如今勢力壯大了，站穩了腳跟，卻背信棄義，要賴不還。這讓孫權越想越生氣，決計討回荊州。於是假意囚禁諸葛瑾一家老小，讓他去求弟弟諸葛亮歸還荊州，否則就殺了諸葛瑾一家。

諸葛瑾到了蜀國，劉備和諸葛亮就猜到了他的來意，於是兩人唱起了紅白臉的戲，諸葛亮死命哭求劉備歸還荊州，劉備堅決不還，後來假裝考慮諸葛亮的面子，答應分荊州一半還之，也就是歸還長沙、零陵、桂陽三郡。於是，諸葛瑾又跑到關羽那裡死乞白賴地討要，誰知關羽不僅不還，還義正言辭地說：「荊州本大漢疆土，豈得妄以尺寸與人？將在外，君命有所不受。」諸葛瑾這才明白這又是劉備的花招，把皮球踢給了關羽。沒辦法，他只好哭喪著臉，回去向孫權交差。

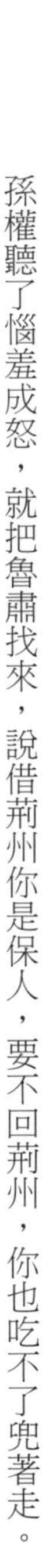

孫權聽了惱羞成怒，就把魯肅找來，說借荊州你是保人，要不回荊州，你也吃不了兜著走。

按照魯肅的想法，劉備佔領了西川，有了自己的地盤，荊州就應該歸還，否則他這個保人就很難看了。如今自己騎虎難下，只有要回荊州，才能說得過去。於是就想起了鴻門宴這一招，想強行逼迫關羽就範，歸還荊州。

關羽最大的毛病就是太自負，而且到了獨挑大樑，駐守荊州時，已經到了目中無人的程度。他明知魯肅邀請他去飲酒是另有所圖，搞不好自己還有性命之憂，但還是非去不可。不僅如此，他只帶著周倉和幾個手下，就駕著小船赴宴了。

宴席上，關羽被魯肅說的啞口無言，只好敷衍說今日只喝酒，不談公事，一是本來就理虧，借東西不還，怎麼說都是個賴皮的事情；二是關羽的嘴皮子當然也不如魯肅麻利，耍大刀還可以，耍嘴皮子怎麼會是魯肅的對手。關羽見說不過魯肅，軟的不行，那就來硬的，他右手提刀，左手挽住魯肅手，裝作喝醉的樣子說：「吾今已醉，恐傷故舊之情。他日令人請公到荊州赴會，另作商議。」一然後將魯肅挾持到江邊，上了小船，逃之夭夭。

關羽一向以大義凜然著稱，這次玩起了小心眼，說理說不過，就挾持了魯肅，讓魯肅給他當擋箭牌，充分暴露了關羽無賴的一面，同時也暗諷劉備所謂的仁義，其實是很虛偽的。

表面上看，關羽單刀赴會，羅貫中是在誇獎他膽識過人，很有英雄氣概。但要仔細閱讀赴會的過程，你就會發現，這是西蜀很窩囊的一次談判：首先，在道義上被魯肅剝下了偽裝，落得個不仁不義，不講信用的臭名，為後來陸遜收回荊州，奠定了道義上的基礎。其次，關羽的表現也從側面表現了劉備為代表的西蜀勢力，口頭上雖然一再標榜自己仁義忠孝治天下，但骨子裡還是尚武的，關鍵時刻總是迷信拳頭，在政治上和外交上還不是很成熟。正是這樣的表現，也讓東吳看到了關羽的弱點，那就是高傲自大，自以為是，所以後來陸遜略施小計，就讓他乖乖地鑽進了圈套裡。

「聯吳抗曹」是諸葛亮一貫的立場，劉備支持、同意，可是關羽卻沒有看清楚聯合孫權的重要性，平日裡和東吳守軍時有摩擦。《三國志》寫道：「羽與肅鄰界，數生狐疑，疆場紛錯，肅常以歡好撫之。」這表示，為荊州這個敏感問題兩國時有摩擦，但魯肅為了長遠利益總扮演潤滑劑的角色，安撫易怒的關羽。雖然此次未能逼迫關羽就範，但魯肅從內心裡，已經堅定了武力奪回荊州決心，也為關羽的死埋下了殺機。

## 張翼德大鬧長坂橋：驚天動地一聲吼

張飛在三國裡雖然給人印象深刻，長坂橋嚇死夏侯傑這一幕，應該是他最顯英雄氣概的一次表演。

在趙雲單騎救出了阿斗，騎馬狂逃，逃到長坂橋的時候，正好遇到張飛，他就讓張飛替他抵擋追趕的曹兵，自己溜之大吉了。張飛騎馬跑到橋上，站在橋中間，攔住了追上來的曹兵，橫眉怒目，嚇得曹兵收住腳步，不敢近前。曹操早聽過張飛的厲害，當初關羽向曹操吹噓說，他的結義兄弟張飛，在百萬軍中取上將的腦袋如同探囊取物，不費吹灰之力。曹操今天一見，果然厲害，加之張飛站在橋上，虛張聲勢，並且大喝道：「我是燕人張翼德，有種的放馬過來，決一死戰！」連叫了兩聲，聲音像打雷一樣，竟然把曹操身邊的夏侯傑，嚇破了膽，從馬上摔了下來，一命嗚呼了。

曹操見狀，急忙調轉馬頭逃跑，驚慌中將帽子也弄掉了，披頭散髮，狼狽至極。張遼和許褚急忙駕馬追來，拉住曹操的馬韁繩，告訴他張飛根本沒有追來，這才讓曹操穩定了心神。

張飛嚇跑了曹操，卻又故作聰明地拆掉了橋，劉備聽到消息後，急忙集合人馬，抄小路開溜，果然沒跑多遠，曹操的大軍就追來了。張飛一直想不通這件事，我明明拆斷了橋，絕了曹操的來路，他怎麼還追來呢？道理很簡單，拆了橋，就說明心虛膽怯，曹操那麼多人馬，修橋過河還不是易如反掌。張飛這一故作聰明的多此一舉，差點送了劉備的小命，多虧關羽即時出現，曹操以為中了諸葛亮的計謀，才轉身撤退。接著，劉表的兒子劉琦率領船隊到達，救劉備等人上船，逃到了長江對岸，這才得以脫身。

張飛大鬧長坂橋，顯然是他自己爭取的一次表演機會，不一定非要如此不可，更不是劉備的戰術安排。他是想和曹操較量一下，於是耍了個小心眼，讓自己的馬隊拖著樹枝，在身後跑來跑去，弄得煙塵四起，好像有千軍萬馬一樣。這一手玩的還算可以，但後來就顯得虛張聲勢了。怒吼嚇死夏侯傑也罷，拆斷橋樑也罷，多少都有一些底氣不足，遠不如關羽那種睥睨天下的傲氣。不過他站在長坂橋上一聲吼，就嚇死了夏侯傑，還是使得自己一吼成名，聲威大震。

到此，劉關張三兄弟的個人神話表演最終完成，劉備躍馬過檀溪，關羽千里走單騎，張飛大鬧長坂橋，這三個典型的故事，把劉關張推向了神壇。再加上單騎救主的趙雲，劉備小集團神勇無比的形象，就這樣樹立起來，為諸葛亮江東談判，增加了重重的籌碼。

如今我們一想到張飛，無非是眼如銅鈴，魯莽老粗的形象，這是羅貫中筆下的張飛，卻也成為了張飛的定裝照。正史記載，張飛乃是富家子弟，並不是賣酒屠豬之徒，讀過書不說，還寫了一手好字。說也奇怪，羅貫中把張飛描繪成粗枝大葉的樣子，卻又虛構了幾段故事，讓張飛過足了癮。他大鬧長坂橋，同時也揭示了劉備集團的另一面，就是軍事上徒有其表，名聲大，氣勢大，但實力並不是多麼強，有點外強中乾的味道。所以，過於依賴諸葛亮的智謀，也就不足為怪了。

# 關公大意失荊州：麥城不是好地方

劉備從東吳借來了荊州，有了安身立命的基地，並以此為跳板，很快就挺進巴蜀，拿下了西川，將荊州留給關羽把守。關羽駐守荊州時，曾出兵襄樊，水淹七軍，威震華夏，擒於禁，斬龐德，嚇得曹操一度考慮遷都，以避其鋒。

在《三國演義》中，有兩個人被抬得最高的，一個是諸葛亮，另一個就是關羽。可是他兩人一個窮兵北伐，一個大意失荊州，成了導致蜀國敗亡的重要推手。特別是關羽，雖然被後世人敬之為神，尊之為帝，但他最後落下個「只提過五關斬六將，不提走麥城」的譏誚之語，總有一種不完美的缺憾。

其實，即便不是關羽鎮守荊州，荊州也早晚會被東吳奪回去。從關羽單刀赴會那一次就可以看出，東吳是鐵了心要收回荊州的。按道理收回也是理所當然，從道義上，東吳已經贏得了爭奪荊州的先機。

從羅貫中的《三國演義》裡可以明白地看出，是關羽大意失荊州，也就是說，在失荊州這件事上，關羽應該負主要責任。其實，從三國的大局來看，這件事更大的責任應該由劉備和諸葛亮來負。當時劉備和諸葛亮忙著穩定西川，或許沒有那麼多的精力顧及荊州，對荊州缺乏足夠的重視，這是其中的一個原因；另一個原因就是劉備和諸葛亮未能識得授權要領，把荊州交給關羽，屬於用人不當。

從關羽自身的條件來看，他具備足夠的軍事才能和資歷，而且屬於劉備的死黨，忠誠更不成問題。但是關羽缺乏政治頭腦和領導才能，對外不能捭闔縱橫，對內不能凝聚人心。簡而言之，關羽守荊州，遲早會把荊州丟掉。

能失去荊州這麼重要的地方，關羽的大意，當然不是一時大意，而是處處大意。

先看關羽的第一個大意：蔑視東吳。他坐鎮荊州時，孫權曾托媒人向關羽求親，要迎娶關羽的女兒做自己的兒媳婦，這可是和親結盟的大好時機。劉備能娶孫尚香，孫權的兒子娶關羽的女兒也未嘗不可，門當戶對，既解決了女兒的婚姻大事，又鞏固了兩國的同盟關係，何樂而不為？但是關羽就不為，不僅不為，還破口大罵，罵使臣，罵孫權，除了留下一個「虎女焉能嫁犬子」的典故外，還留下一句大意失荊州的成語。如此大意還不算，還跑到孫權的地盤搶糧。兩國修好，和約在手，竟然公開入境搶劫，無疑就是公開挑釁了。關於此舉，等於撕毀了和約，給孫權出兵的藉口。

表面上看，關羽目中無人，驕傲自大，不守規矩，破壞了孫劉關係。但如果從政治鬥爭的角度講，我覺得這是關羽有意而為之。試想一下，如果關羽答應了東吳的婚事，劉備會怎麼想？諸葛亮會怎麼想？會不會想到他要與東吳聯合，裡通外國，另有他圖呢？顯然，拒婚和搶糧，都是關羽故

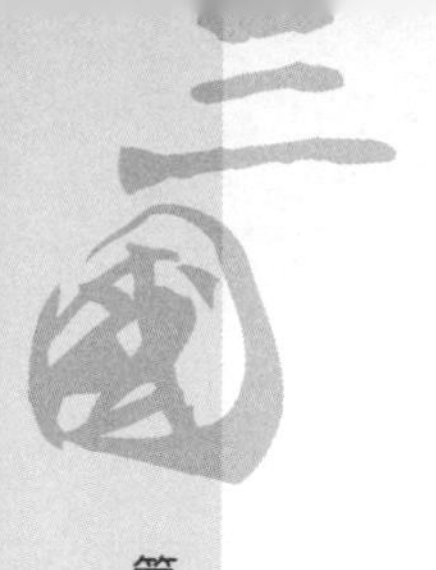



意做出的姿態，意在表達自己對劉備的忠心。這時，劉備和諸葛亮並沒有提前做好對關羽的信任安撫工作，沒有明白告知關羽和東吳和好的重要意義，導致關羽採取了過激的行為。

關羽的第二個大意：喜歡阿諛奉迎，輕敵冒進。名不見經傳的陸遜自薦駐守攻打荊州前線陣地時，為了迷惑關羽，就寫信給他，一通歌功頌德的馬屁之後，暗示自己仰慕英雄已久，欲來投靠之意。關羽看過信，心花怒放，自以為天下第一，僅靠自己的威名就能鎮守後方，於是率領大軍北伐曹魏，致使後方空虛，給了陸遜可乘之機。

這還不算，還有更大的大意：用人不當。關羽率大軍北伐，卻把自己的基地江陵，留給能力平庸的傅士仁等人把守，這些人供應前方軍需都常常供應不上，何能擔此重任？關羽不僅沒有即時更換人員，還動輒威脅他們軍法伺候，致使二人遂生叛逆之心，從內部瓦解了關羽的力量。

所以陸遜一到，不費吹灰之力，就輕易地拿下了江陵。陸遜拿下江陵後，關羽不僅沒有命令大軍急行軍趕回奪回基地，反而帶著大軍，慢慢地一路行來，如同遊山觀景的遊客。並且天真地派使者和陸遜談判，致使陸遜抓住機會安撫百姓，策反軍隊，使得關羽的部隊軍心渙散，一路叛變的士兵絡繹不絕，最後關羽父子只好敗走麥城。奇怪的是，此刻劉備和諸葛亮，既不曾出兵呼應，也不曾派兵救援，彷彿關羽表演單口相聲，一人在撐場面。

關羽到了麥城，如果突圍路線要順依人意的話，也不至於身亡，看來，悲劇總是自己造成的。

讓你輸的心服口服

# 第十一章

# 三國鬥法之拋磚砸蠻夷

## ——打了七次才降服

# 臥龍弔唁：帥哥真的生氣了

三氣周瑜，是三國裡有名的故事，使人人都知道了周瑜是被諸葛亮活活氣死的，並且深信不疑。一個大活人，被活活地氣死，說來也挺可笑，那麼諸葛亮是怎樣氣死周瑜的呢？三件大事，都被諸葛亮佔先，令自恃聰明絕頂的周瑜忿忿不平，怒火攻心，窩囊而死。其實，諸葛亮做的這三件事，換成別人，即便氣不死，也會氣個半死。

赤壁大戰，一把火差點燒死曹操，令他倉惶逃回北方，但荊州還在他的勢力範圍內，由曹仁把守。雖然劉備在赤壁大戰也出了不少力，但還是沒有自己的地盤，他早就想陰謀奪取荊州，做為自己的基地和跳板。擊敗了曹操，東吳實力大增，荊州已是周瑜的囊中之物，他洞察到劉備的野心，大吃一驚，決定率大軍先行拿下荊州。進軍之前，他先去拜會了劉備，並警告劉備不許對荊州心存妄想，劉備當然心有不甘，就故意用激將法，激怒周瑜，說周瑜拿不下荊州。周瑜最怕別人看不起，就誇下海口說，我要拿不下荊州，荊州就歸你了。

荊州三郡，周瑜提兵先攻打南郡，結果中了曹仁的計謀，被毒箭射中肩膀，不能生氣，需要靜養才能痊癒。周瑜利用這種情況，將計就計，假裝自己生氣而亡，埋下伏兵，結果殺得曹仁大敗。可是當他領兵到達南郡城下時，劉備已派趙雲搶先一步佔領了南郡，接著又派關羽和張飛佔了襄陽和荊州。周瑜急忙派魯肅去交涉，魯肅只是從劉備那裡弄回了一張借據。沒辦法，周瑜只好收兵回東吳養傷。這是一氣周瑜。

劉備佔領了荊州，周瑜一計不成又生一計。決定用美人計，招納劉備為吳國太的女婿，以此瓦解劉備的鬥志，伺機奪回荊州。周瑜說服孫權，讓他把自己的妹妹孫尚香嫁給劉備，成親之後，把劉備扣在東吳。結果，劉備不僅娶了孫尚香，還按照諸葛亮的計謀，看準機會拐跑了孫尚香，周瑜偷雞不成反蝕一把米，又被氣個半死。這是二氣周瑜。

賠了夫人又折兵，周瑜還是不服氣了。既然你劉備說，打下西川再還荊州，那好，你沒力量去打，我替你去打，這下該沒話說了吧。於是他照會劉備，借道荊州，去攻打西川。諸葛亮一眼就看穿了周瑜這是假途滅虢之計，就假裝答應周瑜，等周瑜到了荊州，又閉門不出，讓大軍包圍周瑜。周瑜被氣得摔下了馬背，最後長嘆一聲：「既生瑜，何生亮！」便氣絕身亡。這是三氣周瑜。

氣死了周瑜，諸葛亮當然要去弔唁，好朋友一場，死了怎麼也得表示表示。於是，又上演了一場柴桑口弔唁的好戲。諸葛亮氣死了周瑜，讓東吳人恨得牙癢癢，恨不得親口吃了他，這時候他還敢去弔喪，可見膽量有多大。諸葛亮柴桑口弔喪，帶著趙雲當保鏢。他寫了一篇文采飛揚，感情充沛的祭文，深深地感動了魯肅。最後，魯肅不僅沒有難為他，還親自為他把酒設宴送行。

三氣周瑜，除掉了一個最大的競爭對手，可見諸葛亮多麼聰明。這也難怪周瑜生氣，東吳向來把智勇做為立身之本，靠的就是耍心眼，弄陰謀起家的，這一次，無論從戰略還是戰術上，都被諸葛亮給打敗，他想不生氣都不成。這三件大事，考量的都是周瑜的戰略眼光和戰術素養的指標。失了荊州，就是失去了國家的戰略先機；賠了夫人，就等於賠掉了國家的政治資本；假借攻打西川之名，實則攻打荊州計畫夭折，就澆滅東吳收回荊州的最後希望。這不僅是諸葛亮和周瑜之間的鬥智鬥勇，也是孫劉兩大勢力之間的治國方略的較量。

羅貫中寫出三氣周瑜這個故事，意在誇獎諸葛亮智謀超群，聰明絕頂，是安邦定國之才，自比管仲樂毅，一點也不誇張。但從這個故事裡，我們也看到了另一個問題，那就是自從有了諸葛亮後，劉備變得狡猾了，出爾反爾，不守信用，唯利是圖。

孔子說，「仁者，愛人」。劉備口口聲聲說自己以「仁」為立身的根本，可是他賴荊州、取西川、攻益州，這些行為，哪一件能顯出仁的本性來呢？所謂的「仁」，只是是他奪取天下一個招牌而已。

# 智取漢中：動動心眼就搞定

智取漢中，是劉備和諸葛亮入主西川後，與曹操一次真刀真槍的較量。劉備攻取了西川，惹惱了曹操，他急忙率領大軍，搶佔了東川，也就是漢中一帶，力圖挺進西川，消滅劉備。劉備剛剛拿下西川，收服了馬超，正在興頭上，現在有了實力，正想和曹操較量一番。於是，兩軍就在漢中玩起了捉迷藏。

諸葛亮用兵，主要還是靠計謀，智取漢中也不例外。他深知曹操為人多疑，雖然善於用兵，但多疑必定失敗，因此這次用的是疑兵計。所謂疑兵計，就是故弄玄虛，真真假假，虛虛實實，讓曹操產生懷疑，進而膽怯，最後不戰自亂。

諸葛亮的鬼點子的確很多，白天曹兵叫陣，他命令手下偃旗息鼓，閉門不出。到了晚上便搖旗吶喊，鼓號齊鳴，本來就驚魂未定的曹軍哪裡受得了，心裡防線早就崩潰了，驚恐之下，曹操只能後退。諸葛亮繼續一路尾隨，並且在曹操對面背水安營紮寨。背水紮營，又讓曹操大吃一驚，赤壁一戰，他深知諸葛亮詭計多端，滿肚子壞水，背水紮營是兵家大忌，諸葛亮這麼做，一定是在耍什麼鬼把戲，這又讓曹操疑慮重重。兩軍剛一交戰，劉備就棄寨而逃，路上扔下了很多戰馬兵器，這下曹操更懷疑了，急忙命令部隊停止追擊。但為時已晚，蜀軍伏兵四起，曹操又被打了個大敗。諸葛亮就這樣不停地用計謀欺騙曹操，一直把他引進斜谷。曹操堅守不出，才感覺到了一絲安全。可是他退進了斜谷，真的就進退兩難了，想出擊但害怕諸葛亮使壞，退回去，又怕諸葛亮笑話。正在進退兩難時，楊修又開始耍他的小聰明，結果惹惱了曹操，命人把楊修殺掉了。這樣一來，曹操就不好意思再龜縮，只好率領大軍出擊，不幸自己被魏延一箭射掉兩個門牙，直接被打回老巢，整個漢中就這樣落入了劉備的手裡。

看了這段歷史故事，讓人覺得很過癮，每一場仗都是諸葛亮出奇謀制勝的。曹操的軍隊還沒有真正進行過一次正面交鋒，就被弄得顧東顧不了西，敗都敗得不明不白。有了漢中，劉備實力大增，趁機把自己加封為漢中王。這是劉備第一次稱王，雖然是自封的，足以讓他有了一方諸侯的資格。

智取漢中，靠的就是諸葛亮的一個「智」字。自從諸葛亮加盟後，劉備集團才真正有了自己的地盤，而這些地盤，幾乎都是靠諸葛亮的鬼點子取得的，荊州、西川、漢中，都是如此。而且劉備的官職，也一點一點地被諸葛亮捧了起來，從益州牧到漢中王，開始和曹操平起平坐了。

劉備之所以喜歡漢中王這個封號，蓋因一個漢字，漢朝是那時候延續幾百年的朝代，根深蒂固，被認為是正統。劉備一個賣草鞋的，做夢都想沾上漢王朝的光，到處宣稱自己的祖宗也曾當過漢朝的皇帝，多少也帶點皇室血統。如今當上漢中王，終於搭上了大漢王朝王公貴族的末班車。

加封漢中王，是劉備擁有地盤最大、實力最強的時候，這讓他難免有點飄飄然了。不僅是他，

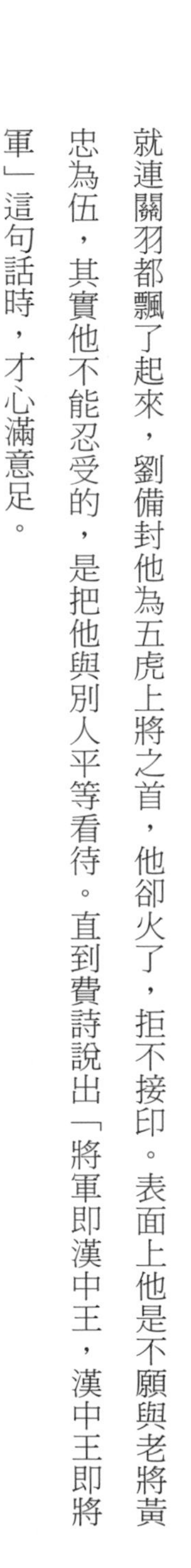


就連關羽都飄了起來，劉備封他為五虎上將之首，他卻火了，拒不接印。表面上他是不願與老將黃忠為伍，其實他不能忍受的，是把他與別人平等看待。直到費詩說出「將軍即漢中王，漢中王即將軍」這句話時，才心滿意足。

擁有了漢中和荊州，劉備開始志大意滿，認為自己的實力，足可以蔑視天下。所以當曹操準備攻打荊州時，他和諸葛亮都認為靠關羽加上一些小計謀，就可以擊退曹軍，並且根本沒有把東吳放在眼裡，未做任何防範。導致關羽腹背受敵，最後不僅丟了荊州，還引發了吳蜀之間大規模的戰爭。

羅貫中把諸葛亮智取漢中和楊修事件放在一起來寫，不外是為了突出諸葛亮的智和曹操的蠢。同樣是謀士，諸葛亮的智用在用兵打仗上，是大智慧；而楊修的智，僅僅用來揣摩曹操的心理，是小聰明。這實際上是在挖苦諷刺曹操，失道寡助，沒有什麼大賢大才來幫助他，只能弄一些雞鳴狗盜之徒裝門面。

劉備智取漢中，自封漢中王，很有象徵的意味。他一步一步把自己從賣草鞋的小商販，逐漸包裝成了漢王朝合理合法的繼承人，為後來當上蜀漢的皇帝，營造了很好的輿論氛圍和政治基礎。這是羅貫中揚劉抑曹的一大伏筆，劉備由漢中王而為蜀漢皇帝，順理成章，曹丕稱皇帝，當然就屬於篡逆了，名不正言不順，天下人都可以共誅之。這樣一來，諸葛亮六出祁山，就有了足夠的理由和充分的正義感。

# 刮骨療毒：真的勇士，敢於面對活體解剖

《三國演義》裡，最崇尚個人英雄主義的人，非關羽莫屬。他做的每一件事，幾乎都算得上傳說的水準。最駭人聽聞的，莫過於刮骨療毒了，那是一次重要的外科手術，就是放在當今的醫療條件下，也沒有幾個人敢如此。

關羽中毒箭，華佗來給他治療。本來華佗要將他的胳膊固定在一個大鐵環裡，並用被子蒙住眼睛，結果被關羽拒絕了：我視死如歸，有什麼可害怕的？並且還說，我怎麼能和世間那些怕痛的凡夫俗子相比呢？關羽就是這樣一個驕傲到骨子裡的自大狂，他的「忠義」雖被歷代人推崇備至，可他這種藐視一切的傲氣，讓自己最終敗走麥城，送掉了性命。

接下來，關羽一面仍與馬良下棋，一面伸臂讓華佗做手術。華佗取尖刀在手，讓人捧一大盆在臂下接血。「割開皮肉，直至於骨，骨上已青；華佗用刀刮骨，悉悉有聲。帳上帳下見者，皆掩面失色。……須臾，血流盈盆。」而關公，「飲酒食肉，談笑弈棋，全無痛苦之色。」手術結束後，關羽誇華佗「真神醫也」，華佗誇關羽「真天神也」。

根據醫學常識，我嚴重懷疑關羽的神經系統是不是發生了病變，因為每個人都會有痛感，只要神經功能良好的話，劇烈的痛感會導致人昏厥，這並不完全取決於人的意志力，而是肌體本能的反應。好在羅貫中寫的是小說，不是手術紀錄，否則，非把當代的醫生們都教唆成屠夫不可，那樣手術就簡單多了，費用也會大大降低。

我小人之心地猜測，這次治療會不會是關羽和華佗合謀的一次「秀場」，華佗偷偷給關羽上了「麻沸散」，這樣關羽就可以在眾將士面前進行血腥的表演了，以此博得眾人折服，提高威望。之後，兩人還按照事先的謀劃互相總結，互相吹捧：真神醫也，真天神也。不然，哪能全無痛苦之色呢？連眉頭也不皺一皺，牙關也不咬一咬，還進行腦力勞動——下棋。如此不合乎常理，誰信啊？

能夠與關羽有得一拼的，還有夏侯惇，此人被箭射中了眼睛，他拔出箭，把自己的眼珠子塞到嘴裡吃掉了。不過他這種情況，還不能與關羽比，這是應激反應，真要是能忍住後來的疼痛，那才是真本事。

一部小說，就可以將一個人物塑造成萬民頂禮膜拜的神，羅貫中果然厲害。雖說造神是中國人最愛玩的一種騙人遊戲，不論造得多麼神乎其神，終究有倒牌的一天，但關公卻具有常人想像不到的生命力。

為什麼關羽會成為神呢？一、因為書中把他寫成威武正義之將，老百姓深知對付作威作福的惡勢力，還是青龍偃月刀最為管用。所以，降魔壓邪，伸張正義需要關羽這樣有力量的神。二、關羽是「義」的化身，這個「義」，在老百姓看來，更多的是江湖義氣的「義」。這正是平民百姓所期求的相互之間的盟契基礎。三、關羽的「義」，是以自身的價值觀，利害觀為標準的，為了朋友，不惜肝腦塗地。這也正是人們敬仰關羽的緣故。

刮骨療毒發生在劉備自封漢中王以後，曹操派兵攻打荊州，劉備輕信了諸葛亮的計謀，讓關羽拋棄荊州，去攻打襄陽，結果被曹仁手下的毒箭射中了胳膊。一般的箭傷，抹上點金創藥，養上一養，過幾天也就好了。中了毒藥可就不同了，發炎、感染，傷情越來越重。恰巧這件事被華佗知道了，便主動趕去，為關羽治療箭傷。

其實，刮骨療毒這件事，發生的時機很耐人尋味。表面看，這是一個意外事件，很偶然，如果仔細讀一讀，就會發現，關羽中箭是再自然不過的事情。他之所以會中箭，與他的自傲輕敵、馬虎大意有直接的關係。兩軍打仗，自然要做好防護，我們誇一個部隊裝備先進，常常會說武裝到牙齒，可是關羽出戰，外面僅僅穿了一件護心甲，裡面穿著綠長袍，根本沒有其他鎧甲保護。曹仁正是發現了這一點，才命令士兵用亂箭射擊，結果真就射中了關羽。

雖然被華佗刮骨療毒治好了，但無意中卻為我們揭開了另一個謎團，那就是關羽之所以會大意失荊州，原來冰凍三尺非一日之寒。他長期被人吹捧，自高自大的心理不免膨脹起來，曹仁這一箭，本來是向他敲了一次警鐘，不僅沒有敲醒他，反而因為刮骨療毒，眾人更加追捧，使其飄飄然，忘乎所以，認為天下沒有人能奈何得了他。這種自傲的心理，使他根本不把陸遜、曹仁等小字輩放在心上，更不用說有什麼預防心理和防範措施了。

把這件事安排在失荊州之前，恰到好處，一下子把關羽的自滿心理推向了極致，讓他極度膨脹，

直到被陸遜用一根小小的細針一扎，噗地一聲爆了，一世英名付諸於流水。

這樣的問題，羅貫中可能並沒有想到。他在書中寫刮骨療毒時，關羽毫無痛苦之色，簡直到了天神的地步，卻把大意失荊州的責任歸於東吳的小人伎倆，這實在有失公允。明眼人都能看得出來，從溫酒斬華雄、三英戰呂布、千里走單騎到單刀赴會，再到刮骨療毒，關羽一步一步變得越來越自大自滿起來。此時的關羽早就不是千里走單騎時候的關羽了，已經變成了一個傲慢、懈怠、自以為是、目中無人的關羽，自視非凡到了極點，天下英雄在他眼裡，都成了窩囊廢，根本不值得一提。

刮骨療毒，能治療敵人射來的毒，卻治療不了關羽內心的毒。

# 力斬五將：這才叫老當益壯

劉備和諸葛亮雖然很厲害，但他們的基地選錯了地方，所以蜀漢政權沒有堅持多久就滅亡了。那時，西川處於偏僻蠻荒之地，文化基礎很差，沒有什麼人才，等到劉備死後，中原帶去的人才，死的死，亡的亡，消耗殆盡，諸葛亮就沒什麼人才可用了。沒辦法，六出祁山，就連七十多歲的老將趙雲還得披掛上陣。

趙雲力斬五將的故事發生在諸葛亮第一次出祁山的時候，當時，曹丕已死，他的兒子曹睿繼位，當了皇帝。曹睿聽說諸葛亮來攻打他，就命令駙馬夏侯楙帶領西涼的大將韓德來抵抗諸葛亮的進攻。韓德是西涼有名的戰將，手使一把開山大斧，號稱有萬夫不當之勇，他有四個兒子，也很厲害，這次抗擊諸葛亮，韓德當先鋒官，並且帶上了他的四個兒子。他是想讓自己的兒子也趁機露露臉，撈點戰功，說不定也能弄個一官半職。

此次出征，趙雲已是古稀之年，諸葛亮讓他在家休養，他不服氣，認為諸葛亮看不起他，不用他了，所以非要出馬，再殺它幾個回合來證明自己。沒想到趙雲果然勇猛，一出手就是殺招，接連殺了韓德三個兒子，活捉了一個，隨後又和韓德交戰，只用了三個回合，就殺死了韓德，讓人刮目相看。

當然，趙雲這樣做，是給諸葛亮看的，意思是自己還不老，還能上場殺敵，為國立功。這件事，羅貫中當然是在表揚趙雲，神勇不減當年，七十歲的人還和青春年少的小夥子一樣富有戰鬥力。

劉備當年封的五虎上將，這時只剩下趙雲一個人了。如今的蜀國像關羽、張飛那樣能征善戰的驍勇之士，已經不多，諸葛亮出祁山，帶領的那些將領，如張苞、關興、馬謖等，水準一般，戰鬥力早已不如蜀國的鼎盛時期，靠的也就是諸葛亮的鬼點子。如果還有關羽、張飛、馬超等那樣一大批蓋世英雄，諸葛亮無論如何也不會讓七十歲的趙雲上陣殺敵。趙雲的出戰，多少也顯示了諸葛亮的無奈和蜀國實力的衰落。

力斬五將，是趙雲的最後一個傳奇，後來他被圍困山谷，是張苞、關興等人救他出去的，他才發現自己確實老了，才萌生徹底退出戰場的想法。這件事對於諸葛亮來說，是好事也是壞事，趙雲神勇不減當年，威震四方，大大鼓舞了士氣，震懾了敵人；但這樣做也太冒險了，如果失敗，那後果也不堪設想。這也是無奈之舉，用兵打仗，還是兵多將廣，才有制勝的把握。七十歲的趙雲，可不是當年的常山趙子龍了，雖然餘威還在，但好漢不提當年勇，一世英名毀在了義氣用事上，那可就太不划算了。諸葛亮可不願意這杆精神大旗倒下，所以明裡是趙雲出戰，暗地裡卻派大軍保護他，以防有什麼不測和閃失。

從三國裡我們可以清楚地看出，諸葛亮對趙雲最信任也最依賴，是他最好的手下。這一點也不奇怪，劉備請他出山做了軍師後，由於關羽和張飛是劉備的結義兄弟，平時也不太把他諸葛亮放在眼裡，只有趙雲最忠誠於他，為他出生入死，不遺餘力。諸葛亮剛到新野時，關張就聯合起來抵制這位軍師，關羽故作深沉狀，站在幕後，唆使張飛上。所以，新野之戰主要靠趙雲實施他的計謀，出使東吳，趙雲是他的保鏢，劉備到東吳招親，諸葛亮派趙雲陪同，而不敢將錦囊妙計授與關羽，怕他亂作主張。

借東風後，安排趙雲來接他，也不願麻煩這位關老爺，怕他未必如約而來。七擒孟獲，趙雲還是主將。這次出祁山，北伐中原，趙雲仍然打頭陣。如果說關羽和張飛為劉備而生，那麼趙雲實際上就是為諸葛亮而生的。

趙雲單騎救主，截江劉阿斗，表面是救出了阿斗，其實是為諸葛亮救出了未來的政治前途。如果沒有了阿斗，那麼劉備死後，蜀國的皇權就不知道落在誰的手裡，諸葛亮能否順利地成為蜀國實際權力的操控者，就是個未知數了。

趙雲不僅在軍事上成為諸葛亮的左膀右臂，是他計謀的主要實施者，而且在政治上，也全力支持諸葛亮。關羽被害，劉備報仇心切，一心要討伐東吳，趙雲第一個站出來反對，結果劉備出征伐吳，他反而留在成都保護諸葛亮。可以這麼說，正是趙雲才成全了諸葛亮的一世英名，沒有趙雲，諸葛亮的許多計謀都會化為泡影。

羅貫中對趙雲不吝筆墨，大加褒揚，不僅是對劉備忠孝仁義的肯定，更是對諸葛亮完美形象的補充和對其超人智慧的間接讚美。

# 七擒孟獲：讓你輸的心服口服

劉關張死後，西蜀成了諸葛亮的天下。那時候孫權和曹魏也都自忙自的，天下相對太平。諸葛亮掌權後，總想做點什麼，以便顯示自己的道德水準，為自己撈取政治資本。他最大的願望就是消滅曹魏勢力，統一中原，以實現先帝的遺願，同時也是他自己的一廂情願。而要與曹魏勢力過招，必須先穩定自己的後方，鞏固自己的政權，積蓄一定的實力。當時，盤踞西南的孟獲，經常騷擾西蜀政權，被諸葛亮逮個正著，認為他是自己試試身手的最好對象。

東漢末年，處於邊陲的一些民族還比較落後，就連巴蜀也不是發達的地方。但為了鞏固自己的後方，對待孟獲這樣的少數民族首領，就不能簡單地消滅他們，而是要從精神和心理上征服他們，要讓他們心服口服，心甘情願地臣服政府，這樣自己才可以騰出手來，一心一意對付曹魏。這是一項民心工程，諸葛亮雖然做得很盡力，但卻走了很長的彎路。

在當時，平定南方最好的辦法就是殺死孟獲，因為當時有野心侵犯蜀國的並不是所有南疆小國的願望，而只是孟獲個人的野心。只要殺死孟獲，蜀國的後方威脅自然瓦解。正如書中所寫的那樣，眾酋長和洞主們說：「我等雖居蠻方，未嘗敢犯中國，中國亦不曾侵我。今因孟獲勢力相逼，不得已而造反。今欲殺孟獲去投孔明，以免洞中百姓塗炭之苦。」可以看出，諸葛亮擔心殺孟獲後南國人心不服繼續威脅蜀國南部安全是沒有根據的。可是諸葛亮卻拒絕部下的勸阻，完全不顧雙方將士的性命，一再捉放孟獲，與孟獲玩一場貓捉老鼠的殺人遊戲。

雙方第一回合較量，諸葛亮先打敗了孟獲，然後讓魏延設伏，生擒吃了敗仗而逃跑的孟獲。孟獲很不服氣，認為不是真刀真槍的打拼，於是諸葛亮就放了他。然後諸葛亮告訴孟獲的手下，說孟獲把失敗的責任都推到了他們的頭上，用來離間孟獲和手下人的關係。手下們懷恨在心，趁孟獲不注意，把孟獲來了個五花大綁，綁了去見諸葛亮，這是第二次擒獲孟獲。孟獲更不服氣了，這是被人出賣，不算數，諸葛亮同樣放了他一馬。諸葛亮這一招貌似高明，其實是因小失大。這不但直接導致愛好和平的兩大洞主董荼和阿會喃被孟獲殺害，還直接拒絕了眾酋長愛好和平結束戰爭的請求，等於是強迫孟獲把更多的軍民綁上戰車。然後，孟獲讓他的弟弟來詐降，自己來偷襲，這樣的小把戲，諸葛亮一眼就識破了孟獲的伎倆，不費吹灰之力就將他擒獲，但還是放了他。

第四次交手，也不複雜，諸葛亮設圈套，引孟獲出來，輕鬆就捉到了他，捉到後還和原來一樣，又放了他。在諸葛亮這次放回孟獲之後，與孟獲同為洞主的楊鋒為了平息這場諸葛亮與孟獲個人之間的有害無益的殺人遊戲，再次將孟獲抓來送給諸葛亮。原本希望透過孟獲之死來結束戰爭，遺憾的是這個和平的願望再次遭到諸葛亮的踐踏。

第六次，孟獲搬來了救兵，用訓練的野獸來參戰，諸葛亮被打敗，這中間，還遇到幾處毒泉，

差點丟了性命。但是，諸葛亮還是想出了高招，他造一些巨大的假獸，嚇唬那些真獸，又生擒了孟獲。孟獲當然不服，諸葛亮一笑了之，同樣放了他。

第七次交手，也就是最後一次交手，孟獲請來了烏戈國的救兵，結果烏戈國國王兀突骨及其三萬藤甲軍被諸葛亮一把火燒得精光，並再次把孟獲擒獲。面對如此殘忍的場面，諸葛亮也垂淚嘆息道：「吾雖有功於社稷，必損壽矣！」可是，他如此不計成本地玩這種野蠻血腥的遊戲，並且還將這樣多餘的戰爭美化成有功於蜀國社稷，實在令人費解。這次，諸葛亮同樣放了孟獲，但孟獲徹底服了氣，發誓不再跟諸葛亮作對。於是，諸葛亮再次封他為王，讓他管理西南邊陲。

七擒孟獲，是諸葛亮的轉型期，之前，雖然自己很有地位，但畢竟什麼事情都要聽劉備的，自己只是個參謀，提出的建議落實不落實，還要看劉備的臉色行事，並沒有多少主動權。七擒孟獲就不同了，這是自己第一次當家作主，成功與否直接關係到自己未來的政治命運。所以諸葛亮必須把這件事情做得漂漂亮亮，不容半點馬虎。自始至終，羅貫中都是在用他的生花妙筆，渲染諸葛亮的智謀。但是「七擒七縱」的故事實際上是不存在的，只是後來的《三國演義》和劇本加以渲染，才使情節變得尤為離奇，怪誕不稽。而實際上諸葛亮的南征，他重用地方勢力，保障他們的利益；一反兩漢以來委官統治，遣兵屯守的政策。他對那個地方既不用留人，又不留兵，更不用運糧。既籠絡了地方首領為他效力，又得到了金、銀、丹、漆、耕牛、戰馬。軍資所出，國以富饒，使他能專事北伐中原，而後方蜀中境內保持安定。

別和他學~~~~ 天生
就是一副造反的
模樣

# 第十二章

# 三國鬥法之渾水摸小蝦

——我斬馬謖，是因為怕輸

# 黃忠不服老：老將出恭，最少一刻鐘

三國裡，老黃忠位列蜀國五虎上將，令關羽很不服氣，不僅他不服氣，大概很多人也不服氣。當然，別人不服氣沒用，只要劉備喜歡，愛封誰就封誰，就算封廖化為五虎上將，別人也管不著。但這件事起碼說明，老黃忠在劉備眼裡，還是挺有份量的。

很多人之所以會不服氣，大概是因為老黃忠跟隨劉備的時候，年齡實在太大了。劉備請他出山時，他已經到了花甲之年。六十多歲的人，要是當文官，靠著經驗吃老本，還能應付一下，但做為武將，騎馬射箭，舞刀弄槍，就有點拿生命開玩笑了。特別是到了古稀之年後，老黃忠還要堅持上場殺敵，雖然這種精神可嘉，但身體不濟，無論如何都是冒險的事情。什麼年齡做什麼事，到了在家養老的時候，就要好好在家頤養天年，再出去折騰，那就不是幫忙，而是添亂了。

其實黃忠也不是無能之輩，本事還是有的，也有自己的拿手絕活，除了武藝高強、有勇有謀外，還射得一手好箭法。他大器晚成，年輕時候一直沒什麼名聲和地位，直到遇到了劉備，突然煥發了第二春，表現極其活躍，一下子成了可與廉頗齊名的大將。

蜀漢的將才本不多，劉備早年四處流竄，根基不牢，除了幾個慕名而來的英雄外，投靠他的軍事人才並不多。加之巴蜀本來就是偏僻之地，政治軍事人才也不多，這種情況下，老黃忠才得到了露臉的機會，並位列五虎上將。也正是因為缺兵少將，老黃忠都六十多了，劉備還會請他出山。那時候，如果不是急需用人，黃忠早就退休了。

當然，劉備也是看上了黃忠的本事，尤其是一手好箭法，還是能派上大用場的。劉備攻打長沙時，長沙太守投降劉備，而他手下的大將黃忠卻說什麼也不投降。於是，關羽和黃忠交起手來。第一仗，大戰了百十回合不分勝負；第二仗，老黃忠馬失前蹄，關羽放了他；第三仗，他用箭射中關羽頭盔上的瓔珞，放了關羽。也就是說，他用箭取關羽的性命，也是輕而易舉的事。雖然不如呂布轅門射戟、趙雲江上射帆來得好看，但能沙場射敵，卻數黃忠更實用，更有效。

劉備看上黃忠的另一點，就是他的忠義。劉備就喜歡這樣的人，所以才親自去請。最終，黃忠被感動得一塌糊塗，懷才不遇幾十年，終於等來了英主，那還有什麼話可說，跟著賣命就是。

諸葛亮一直不太看好黃忠，害怕他年老誤事，耽誤自己的計謀實施。到時候自己有嘴說不清，知道的人會認為是手下落實不力，不知道的人就會認為是他的計謀不行，有損他足智多謀、戰無不勝的名聲和形象。但諸葛亮礙於劉備的面子，又不得不用他，所以每次用他的時候，都要諷刺他年已老邁，恐怕不頂用。黃忠只好拼盡老命，為自己正名，挽回一些顏面。

到了後來，黃忠年齡實在太大了，劉備也不是很敢再用他了。吃了敗仗，受點損失事小，萬一賠上了性命，外人也會笑話蜀國無人，有損國威。可是黃忠卻永遠不服老，七十多歲了還非要跟隨劉備出兵征討東吳不可。結果為了和劉備賭氣，證明自己還行，單槍匹馬出戰，中了敵人冷箭，一命嗚呼。天命不可違，人老了就要服老，不服老，好勝逞強，終究會遭到老天的懲罰，黃忠就是一個最好的例子。

黃忠生平最精彩的一次，應該算是定軍山斬夏侯淵了。當然，他斬夏侯淵不是在馬上經過真刀真槍比拼後活生生戰敗夏侯淵的，而是趁夏侯淵下馬休息，偷襲得手的，這也使他的威名，大大打了折扣。他之所能位列五虎上將，主要還得益於劉備進入西川的益州之戰。他殺鄧賢，敗冷苞，救魏延，為劉備入主西川立下了汗馬功勞。

劉備手下，驍勇善戰的大將不多，矬子裡拔將軍，所以黃忠也終於排名前列。以他的年齡，其實早就該告老還鄉了，劉備之所以堅持把他列為五虎上將，也是出於多方面的考慮。首先，要湊齊五個人，除了黃忠，別的還真找不到合適的人選，魏延資格不夠，剩下的都是小字輩。西蜀人才捉襟見肘，可見一斑。其次，黃忠是他自己親自請來的，出於政治需要，以此拉攏人心，證明自己沒有看錯人、請錯人。再次，黃忠忠心耿耿，確實出了不少力。總之，黃忠不管怎麼說也是劉備不可多得的忠義人才。

# 馬謖失街亭：紙上對決也是對決

劉備手下這些英雄好漢裡，馬謖絕對是一個特例，此人從小就赫赫有名，被稱為「馬氏五常」之一。他哥哥馬良與諸葛亮關係很好，應該算志同道合的忘年之友，兩人時常在一起討論兵法計謀。

馬謖絕對是一個坐而論道的高手，按照現代人的標準來看，是道道地地的知識分子、大學問家。他做學問很有一套，很多體驗和看法，也非常深刻新穎，諸葛亮七擒孟獲，就是採用了他的攻心戰，以德服人、以德取之。此外，《三國演義》中還曾有過一段描寫：曹睿繼位後，司馬懿提督雍、涼多處兵馬，主持軍務，諸葛亮聞訊深為憂慮；這時，馬謖設計策劃了一個反間計，使魏主曹睿不久就罷了司馬懿的官，這令諸葛亮十分嘆服。

可是他一領兵打仗就糟糕了，原因在於他過於死板，過於依賴所學的知識理論，缺乏審時度勢、隨機應變、靈活機動處理問題的能力。也就是說，善於紙上談兵，而非實際用兵打仗。關於他的這一特點，劉備早已看得清清楚楚，所以臨死前警告諸葛亮，說馬謖這個人言過其實，不能大用。

諸葛亮可能是過於迷信馬謖的理論了，根本沒有把劉備的警告當回事，平定孟獲之後，高調出征，並自信滿滿地選擇了自己非常欣賞和信賴的理論高手馬謖，做為自己北出祁山、討伐曹魏的先鋒官。劉備在世時，曾任魏延為漢中太守，對於這一帶地形，魏延最為熟知。此次北征，扼守街亭咽喉要地，不派魏延，而委重任於中參軍的馬謖，也難怪他要發牢騷了。

再看趙雲用計保護全軍撤退，不失一兵一騎，不遺輜重軍資，雖老而不弱。可見上下皆無自知之明，焉有不敗之理。放著魏延這等高手不用，而用一個毫無實戰經驗的理論家，諸葛亮這一招確實是夠大膽的，也是夠大意的。從這一點來說，馬謖失街亭，錯不在馬謖，而在諸葛亮用人失誤。

所謂知人善用，對於馬謖這樣的人，應該知道什麼位置最適合他，而不是錯位使用，把戰略家用在實戰家的位置上。按說，以諸葛亮的聰明，不會察覺不出馬謖是一個紙上談兵的角色。但獨垂青馬謖，看來能言善道之人，是很易邀寵討好的。另外，馬謖的軍事才幹只是停留在口頭上，很少付諸行動，所以他很少犯錯，這就是諸葛亮產生了錯覺，認為他可堪大任。

我們應該承認，諸葛亮一生也是理論領先於實踐的，赤壁之戰，他不過是一個參謀；荊州之戰，他連前線都沒去；打西川，攻劉璋，是龐統的謀劃；彝陵之戰，他在成都留守。因此，他與馬謖這位青年戰爭理論家，可能有某些相通相惜之處。所以，蜀軍出祁山的首戰，諸葛亮派馬謖去打先鋒，本是想讓他一舉成名，以便今後好委以重任，誰知馬謖運氣不好，「屋漏偏逢連夜雨，船行恰遇頂頭風」，偏偏碰上了連諸葛亮都無可奈何的司馬懿，街亭一戰不但沒有成功，反而丟掉了性命。

馬謖失街亭，對諸葛亮來說，並不是一件壞事。這是諸葛亮自從執掌蜀國大權以來，第一次直接與曹魏交戰，是對自己綜合能力的一次檢驗。馬謖失街亭，起碼讓他清醒自己的實力和能力，還不到傲視群雄的地步，必須腳踏實地，積蓄力量，用真本事去與曹魏勢力打拼，否則就會碰得頭破血流。

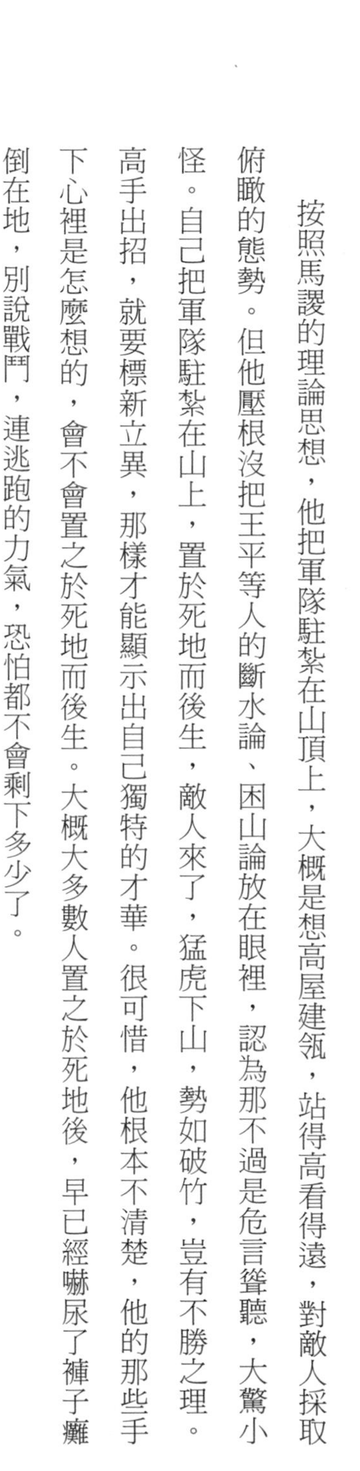



按照馬謖的理論思想，他把軍隊駐紮在山頂上，大概是想高屋建瓴，站得高看得遠，對敵人採取俯瞰的態勢。但他壓根沒把王平等人的斷水論、困山論放在眼裡，認為那不過是危言聳聽，大驚小怪。自己把軍隊駐紮在山上，置於死地而後生，敵人來了，猛虎下山，勢如破竹，豈有不勝之理。高手出招，就要標新立異，那樣才能顯示出自己獨特的才華。很可惜，他根本不清楚，他的那些手下心裡是怎麼想的，會不會置之於死地而後生。大概大多數人置之於死地後，早已經嚇尿了褲子癱倒在地，別說戰鬥，連逃跑的力氣，恐怕都不會剩下多少了。

過於迷信書本，缺少起碼的常識，或者故意標新立異，反常識而動，以驗證自己的能力，是馬謖失敗的主要癥結所在。

馬謖失街亭，給了諸葛亮當頭一棒，這一棒不僅打在他的軍事力量上，更是打在他智謀治國的策略上。一個想以智謀征服天下的人，第一次出山就被打得落花流水，這也間接地警告諸葛亮，要想打贏戰爭，還得靠國家的綜合實力和軍事力量，僅憑一些小花招，是達不到目的的。

其實從整個戰略態勢說，此次諸葛亮北伐必敗無疑。曹魏如日中天，蜀國因為「先主」意氣用事攻打東吳，被陸遜火燒連營七百里，大傷元氣。諸葛亮勉為其難，出師北伐，不過意欲「報先主之殊遇」，盡人臣之義責，聊做一搏而已，「恢復漢室」的目標已成水中月，鏡中花。

本來，若按魏延的建議，兵出子午谷，兵貴奇險，則可能有所建樹，但諸葛亮不敢冒險，只是「依法進兵」，這種曠日持久的消耗戰，即使街亭不失，蜀國也贏不了這場仗。令人可惜的是，馬謖失街亭這一棒，並沒有打醒諸葛亮，反而更加劇了他要挽回面子，用事實證明自己的智謀足可以征服天下的決心。這才有他一而再再而三地興師動眾，耗費巨大人力物力，勞民傷財，沒什麼實際意義的六出祁山，北伐中原。

我們之所以沒有過多強調馬謖的過失和責任，是因為仔細考察分析羅貫中的《三國演義》就會發現，馬謖只不過是諸葛亮實踐自己治國之策的一個試驗品和替死鬼。讓馬謖一人背黑鍋，顯然是不公平的，馬謖有三分責任，七分責任應由諸葛亮承擔。這一點，諸葛亮心裡比誰都清楚，所以他會認馬謖的兒子為義子，斬了馬謖而優待他的全家。這不是出於他的寬宏大量，而是出於內疚和對馬謖替他承擔罪過的感激。

同時，我們還要清楚最重要的一點，那就是諸葛亮從來都不是像人們所稱讚的那樣執法公允而嚴明的，所謂的執法嚴明是要看對象和是否符合政治需要的，那就是借馬謖的人頭，暫時擺脫自己在軍事和政治上的危機，轉移視線和矛盾從來都是政治家慣用的手法。實際上，真正導致馬謖被處死的罪狀不是失街亭，是他畏罪潛逃一事。但奇怪的是，在諸葛亮請罪自貶的表章中，對此事卻連一個字也沒提起，這也正是他這位權臣在政壇上善於翻手為雲、覆手為雨的厲害之處。

不妨可以這樣設想一下，假如諸葛亮一直讓馬謖做自己的戰略參謀，不參與實際的戰爭指揮，那麼結果會如何？可能馬謖會表現得很出色，有可能拿出更多高水準的治國策略。紙上對決也是對決，諸葛亮把馬謖當成了戰術棋子來使用，枉殺了一代英才。

諸葛亮一生行事周密，很少失誤，一旦失誤，就是要命的失誤。馬謖失街亭，對於諸葛亮來說，不僅僅是失去了一個戰略要地和十幾萬大軍，而是失去了一個國家正確的前進方向。

# 姜維歸降：伯約是個有為青年

姜維是諸葛亮最寄予厚望的一個將領，諸葛亮甚至把姜維看成了自己最可靠的接班人，希望姜維傳承他的智謀治國之策。姜維有勇有謀，但是讓他挑起謀略治國的大任，顯然有些勉為其難了。

在諸葛亮獨自掌控蜀國軍政大權的時候，出類拔萃的戰將所剩無幾。老的老，小的小，真正像關羽、張飛那樣驍勇善戰的將領已經沒有了。之所以會出現這種局面，與諸葛亮的人才觀有很大的關係。在他的眼裡，再好的戰將也僅僅是他實施計謀的棋子，只要好用就行，至於能力和水準，他並不是多麼看重。他唯一發現並委以重任的人才，就是姜維。即便是姜維，諸葛亮看重的也僅僅是他的智謀，而不是武藝的高低。

很難想像，如果諸葛亮再活二十年，趙雲、廖化等老將死後，富二代張苞、關興被滅，諸葛亮會靠誰去實施他的奇思妙想、錦囊妙計。那個時候，就算他的智謀水準再高，沒有人替他落實，或者僅僅依靠姜維一人之力，恐怕也會自取滅亡。靠智謀能混飯吃，但不能當飯吃。

如果姜維生於劉備時代，在劉備手下做事，可能他的作用會更大。姜維這樣的人要想施展才華，必須有雄厚的政治經濟基礎和民心基礎，在此基礎上，再輔以他的謀略才華，定能大放異彩。為什麼這樣說呢？姜維與諸葛亮不同，諸葛亮的智謀近乎於妖，也就是說，和妖怪差不多，能掐會算，未卜先知，呼風喚雨，神鬼莫測。

而姜維不過是能根據戰場的形勢發展需要，採取一些針對性很強，又能出奇制勝的策略和計謀。這種計謀的實現，更多依賴強有力的軍事實力做後盾，是一種解決問題方法的巧，而不是投機取巧的巧。劉備時代，很注重做好忠孝仁義的大文章，無論是平民百姓還是官吏士卒，對其政策都能給予很好的支持，民心基礎還算穩固。這種情況下，姜維帶兵打仗，軍隊才有戰鬥力，他的計謀才華，才能發揮出最好的作用。

諸葛亮死後，姜維如果潛心幫助蜀國治理國家，發展生產，休養生息，增強國家的綜合實力，對於蜀國和他個人，可能都是件大好事。很可惜，與諸葛亮的謹慎相反，姜維是個十足的冒險家。蜀國在費禕遇刺死後，以姜維為首的鷹派立刻掌有實權。連續三年，他三次對曹魏用兵，雖有小勝，但都因糧食運輸困難，不得不撤軍。

本來，三國對峙局面已經形成，局勢已經相對穩定，這是個休養生息的大好機會，由於諸葛亮和姜維的剛愎自用，好大喜功，恣意妄為，連年征戰，使得蜀國一直沒能得到喘息的機會。從這一點上來看，諸葛亮選擇姜維做為自己的接班人太過自私，完全是為了實現個人的遺願，而非從國家的大局著想，為國家的前途命運考慮。

以姜維的才能，對付一般的魏將還可以打個勝仗，也曾殲敵數萬，這只是沒有遇見真正的高手而

已。很可惜，他過於迷信自己的能力，當聽說司馬氏家族篡奪了曹魏的政權，便坐不住了，蠢蠢欲動，領兵再次伐魏。這次，有好心人勸他，說蜀國不過是個彈丸之地，缺兵少糧，軍隊後勤補給困難，你應該據守漢中，鞏固邊防，積蓄國力，慢慢發展。姜維不以為然，說以前失敗都是因為行動遲緩，這次我們快速出擊，一定能滅掉司馬政權，匡扶漢室。果然，出擊很順利，取得了一個開門紅，這時候，又有好心人勸他說，應該見好就收，你已經功成名就了，再進軍就是畫蛇添足。姜維仍然不聽，繼續領軍冒進，結果引來了一個高手，那就是鄧艾。鄧艾一出，姜維的好日子也就到頭了。

羅貫中在《三國演義》中，給了姜維不少出場的機會，他的本意不過是為了說明，劉備「北定中原，匡扶漢室」的遠大理想後繼有人，從諸葛亮到姜維，這些有志之士一直為此進行著不懈的努力。但依我看，姜維一點也沒有繼承劉備忠孝仁義的治國思路，倒是繼承了諸葛亮智謀立國的衣缽，只可惜，在智謀上離諸葛亮的水準相差太遠，自然是不可能長久。

# 魏延造反：天生就是一副造反的模樣

劉備手下的將領多以忠義著稱，像關羽、張飛、趙雲、黃忠、廖化等，對劉備都是忠心耿耿，唯獨魏延是一個另類。其實劉備對魏延還是很信任的，但諸葛亮卻始終把他看作是異己分子，不信任，不重用。

魏延之所以不討諸葛亮的喜歡，據說是被諸葛亮發現他腦後長有反骨。這可是原則性大問題，一個人如果天生就是造反的命，就等於自絕於眾人。造反就是犯上作亂，那可是大逆不道的事情，防範都來不及，誰還敢重用他、提拔他呢？更不會有人信任他，把他當親信看待了。

如果不是別有用心，嫁禍於人，那麼就是諸葛亮一定長有透視眼，否則怎麼會知道魏延腦後長有反骨呢？而且從生物學的角度講，人的骨頭都是為了支撐身體而存在的，還沒聽說過具有政治學和社會倫理學上的作用和意義。顯然，諸葛亮在這件事上說了假話，藉助迷信欺騙眾人，目的是排擠打壓魏延。

同樣是蜀國的將領，馬謖之所以深得諸葛亮的信賴，就因為他好紙上談兵，能順從諸葛亮的意旨；而諸葛亮對魏延一直持懷疑和仇視的態度，動不動就要把魏延推出去斬首。說穿了，就是魏延不怎麼買他的帳。

說起魏延這個人，也是一個頂天立地的大英雄，不僅勇冠三軍，而且富有謀略。諸葛亮第一次出祁山的時候，魏延就曾提出奇襲長安的「子午谷奇謀」。可惜，這個計謀不是諸葛亮自己想出來的，也不是他得意門生馬謖向他建議的，而是他的死對頭魏延向他進言的。政治家、軍事家也不是完人，不能說略無半點妒賢嫉能之心，諸葛亮也不例外。他心想自己天下謀略第一，哪裡用得著你來指手畫腳，於是以穩妥為由拒絕了。

魏延為人孤傲，有點恃才傲物，自高自大，按現在的說法，就是有點叛逆。但要注意，叛逆可不是叛變，只是這也看不慣，那也不順眼，愛發個牢騷，不懂得處理人際關係，不會巴結領導和上司，容易得罪人，導致朋友很少。因為這一點，諸葛亮雖然看重魏延的勇猛，但也不喜歡他的為人。可是僅僅因為不喜歡魏延的為人，就誣陷他有反骨，好像諸葛亮還不至於如此小氣。這其中還有一個重要的原因，那就是魏延投靠劉備時的所作所為。

本來魏延是劉表手下的一個將領，在劉備攜老百姓投靠劉表的兒子劉琮時，魏延力主劉備進城，並且和文聘打了起來，最後逃往長沙投靠了韓玄。在劉備攻打長沙的時候，韓玄認為黃忠裡通外國，要殺黃忠，結果魏延挺身而出，殺了韓玄，獻城投降了劉備。這件事上，諸葛亮認為魏延兩次背主，不忠不義，因此杜撰了魏延腦後長有反骨的說法，讓眾人提防。

還有一件事令諸葛亮心裡很不爽，決定公報私仇，臨死下決心加害魏延。那就是諸葛亮最後出岐山，駐紮五丈原時，由於勞累過度，病倒在床，生命垂危，於是自己裝神弄鬼，祈求老天讓他多活幾年。正在關鍵時刻，魏延匆忙進來彙報軍情，結果碰倒了油燈。諸葛亮認為這是破壞了他的祈命大計，等於謀害他的生命。就這樣，把自己短命的責任推到了魏延的頭上，臨死還拉一個墊背的，給楊儀弄了一個錦囊計，藉故除掉了魏延。

另外，考慮到自己身後的名譽，諸葛亮也有可能除掉魏延。魏延有能力也有資格接諸葛亮的班，但他對六出祁山戰而無功早有非議，常常抱怨說如果丞相早聽他的出兵子午谷策略，統一中原早已成為事實。那樣就有可能全盤否定諸葛亮所做的一切，諸葛亮擔心死後會落個身敗名裂，所以必須把異己分子清除掉，讓自己的親信掌權。但是，他也完全可以在他生前找個理由把魏延殺了，這樣做，他可能考慮怕留個妄殺功臣的罪名。

其實，魏延是一個深明大義的人，否則就不會為放劉備進城鬥文聘，也不會為救黃忠而反韓玄了。諸葛亮在臨死之前授意兩個人殺掉魏延，一個是小人楊儀，一個是馬岱，他們同樣是魏延的對頭。楊儀是一個文職官員，最擅長溜鬚拍馬，仗著自己是諸葛亮身邊的人，對魏延不放在眼裡，而魏延本來就心高氣傲，因此兩個人的關係鬧得如同水火。有一次在會議上，魏延竟亮出武器，使楊儀大丟面子。

而馬岱一直是諸葛亮手下的一顆棋子，在火燒葫蘆谷那次戰役，諸葛亮就曾想將魏延置之於死地。他命魏延領兵五百誘敵，將司馬懿誘入上方葫蘆谷中，然後滾油火藥俱下，欲將魏兵和魏延一同燒死於谷中，又暗使馬岱引兵將谷口退路堵死。魏延脫身後發現退路被堵曾質問馬岱，但馬岱以

不知情況為由搪塞。由此可知，馬岱早就是諸葛亮收買授意暗殺魏延的殺手。諸葛亮在死前安排了馬岱去魏延身邊做臥底，後來楊儀用激將法，激怒魏延，說如果魏延要是敢大聲喊三聲「誰敢殺我」，他楊儀就獻城投降。這是故意麻痺魏延，他當然敢喊了，結果剛喊了一聲，就被身邊的馬岱給砍了腦袋。

魏延的死，既是他個人的悲劇，也是諸葛亮的悲劇。在以德服人上，諸葛亮顯然不如劉備做得好。像魏延這種人，用好了可以承擔大任，只不過是因為恃才傲物，不會巴結上司，就遭到猜忌而送命，可見諸葛亮的為人和心胸。

綜觀諸葛亮的用人，確實做的不怎麼樣，像魏延這樣的功勳卓著的老將，幾十年如一日的忠誠，還經常受到無端猜疑，這實在是諸葛亮的一大敗筆。另外，他將身後事交給楊儀那樣的小人和馬岱那樣的莽夫，也讓忠義之士為之心寒。

人才是成就事業的根本，沒有人才，再高的計謀也是空談。

# 廖化做先鋒：終於輪到我出場了

從廖化身上，我們可以很清楚地看到蜀國的人才狀況。「蜀中無大將，廖化做先鋒。」多麼絕妙而形象的諷刺，連一個攔路搶劫的小土匪都能當先鋒了，諸葛亮手下人才匱乏的程度，可想而知。

自從關羽、張飛等五虎上將死去以後，諸葛亮手中可用的戰將已經不多，老的老，少的少，能力一個不如一個。蜀國人才中斷的原因有兩個：一是先天的原因，三國時期，蜀國處於西南偏遠地區，經濟、文化和教育，都很落後，人才培養基礎薄弱，沒有尚武習武的風氣，爭強好鬥的勇士很少。

由於高山大川阻隔，交通不便，中原的勇士也不喜歡翻山越嶺跑到偏僻的西蜀去投靠諸葛亮。二是諸葛亮的主觀原因，他本身缺乏感召力和號召力，同時也不喜歡籠絡武將，所以並不重視軍事人才的培養，逐漸使蜀國軍事力量後繼乏人。這才使老將廖化有了登臺上鏡的機會，直接當上了大軍的先鋒官。

一般來說，「蜀中無大將，廖化作先鋒」這句話，主要指的是姜維鬥陣破鄧艾那一回。熬了這麼

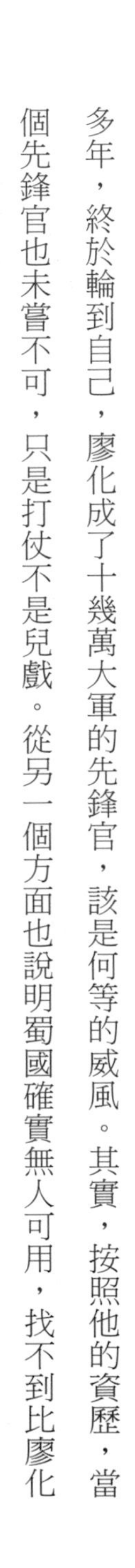



多年，終於輪到自己，廖化成了十幾萬大軍的先鋒官，該是何等的威風。其實，按照他的資歷，當個先鋒官也未嘗不可，只是打仗不是兒戲。從另一個方面也說明蜀國確實無人可用，找不到比廖化能力更強的將領了。

廖化還是有點本事的，他原來是黃巾軍的一個小頭目，黃巾軍戰敗，他和一位姓杜的頭目佔山為王，做起了綠林好漢的勾當。關羽保護兩位嫂嫂，千里走單騎，結果嫂嫂被姓杜的頭目搶上山，要做壓寨夫人，多虧廖化相救，才免受侮辱。為此，廖化要投靠關羽，結果被拒絕，原因是廖化當過賊，關羽看不起他。

後來劉備入川，廖化不遠萬里前來投靠。有意思的是，劉備又安排他去關羽的手下工作，協助關羽一起把守荊州。

關羽最丟面子的一次事，偏偏讓他廖化趕上了，還有恩於他，如今又到他手下做事，這讓關羽感到很尷尬。好在廖化很大方，從來沒有把救皇嫂的事放在心上，而且工作也非常賣命，後來項羽去攻打襄陽，就是廖化當的先鋒。

關羽大意失荊州，也是廖化一人冒死突圍去求救，並且跪地磕頭，痛哭流涕向劉封求救。劉封聽信讒言，見死不救，廖化大罵而去，跑回麥城與關羽共存亡，最後被吳軍俘虜，詐死才逃了回來。劉備征討東吳時，廖化也跟著出征。劉備死後，廖化又跟隨諸葛亮六出祁山，多次擔任先鋒官，還曾搶得司馬懿的金盔，令司馬懿很難堪。

諸葛亮死後，廖化本來應該告老還鄉，頤養天年，很可惜，姜維同樣窮兵黷武，但又沒有幾個人可用，只好繼續讓年事已高的廖化繼續出馬擔當先鋒官。雖然廖化奮勇殺敵，又立了一些戰功，無奈蜀國整體實力不濟，最後還是沒有打過曹魏，只好聽從阿斗的命令，放下武器。投降曹魏後，在去往洛陽途中，廖化鬱悶而死。

其實，用「蜀中無大將，廖化做先鋒」，來諷刺廖化，多少還是冤枉了他。如果沒有一點真本事，廖化也不會身經百戰，屢立戰功而能全身而退。

他和嚴顏、黃忠，是有名的蜀漢三老將。除了確實無人可用以外，也許姜維是想藉助廖化的威名，發揮威懾對手的作用，這也是很多將帥慣用的伎倆。在三國時，民間就有「前有王、句，後有張、廖」之譽。

王是王平，句是句扶，張為張翼，廖指的就是廖化。蜀國後期人才缺乏不假，但把廖化這樣文武雙全，有勇有謀的人才比喻成「平庸之輩」，卻是歷史上最大的冤案了。

單純就廖化的人品來說，也是沒話說，劉備以忠孝仁義為立國之本，廖化完全可以做為榜樣，無論是救皇嫂，還是麥城突圍求救，都表現了他的忠義之心。跟隨關羽、劉備、諸葛亮、姜維，廖化都表現得忠心耿耿，絕無二心，為此還招來了魏延的抱怨，而他卻任勞任怨，沒有一點怨言，是一個非常厚道的人。

羅貫中給了廖化這麼多上鏡的機會，無非是為了誇獎劉備的仁義，招來天下英雄紛紛來投。英雄

不問出處，連參加黃巾軍的亂臣賊子也敢收留並重用，表現了劉備海納百川，包容天下的心胸。

關羽對廖化出身的不屑，也從側面反映了羅貫中對百姓們造反的態度，不僅很不屑，還有污蔑的意思。正統的皇權思想，使羅貫中認為，只有忠於皇帝，才算真的英雄，像廖化這樣參加過犯上作亂隊伍的人，就是亂臣賊子，大逆不道，即便表現再好，也是站錯過隊，有污點的人。所以作者多少還是對廖化的形象有所貶低，讓他做為關羽、劉備等人的陪襯而存在，並見證了魏蜀吳三國的興衰，成了整部《三國演義》裡的活化石。

簡單，簡單
偷襲就像偷雞

# 第十三章

# 三國鬥法之打草驚司馬

——洗洗再裸奔

# 突襲陳倉：偷襲就像偷雞

諸葛亮玩計謀，真可謂到了出神入化的境界，不僅能騙得了對手，連自己手下的人也常被他騙得摸不著頭腦。突襲陳倉就是一個典型案例，不僅沒有讓魏軍得到一點風聲，而且也騙得魏延和姜維一直蒙在鼓裡，直到兵臨城下，才發現城池早已被諸葛亮佔領。

諸葛亮用計讓魏延殺了王雙，令魏兵不敢追擊，趁機逃回了漢中。那時候，諸葛亮出祁山的最大困難就是軍糧運輸，這個問題是他北伐中原的最大瓶頸，始終沒能得到很好地解決。想出祁山，必須糧道暢通，保證大軍的吃飯問題，才能談得上取勝中原，戰勝曹魏。而要打通糧道，陳倉的位置特別重要，拿不下陳倉，就等於掐住了諸葛亮的喉嚨，令其自亂陣腳，不攻自破。

殺了王雙，退回漢中，諸葛亮做夢也想拿下陳倉，打通北上的糧道。正當他愁眉不展，鬱悶透頂時，偵察兵忽然來報，說駐守陳倉的郝昭得了重病。這可是個天大的好消息，讓諸葛亮眼前一亮，感覺出拿下陳倉的機會終於來了。他表面上派魏延和姜維率領大軍去攻打陳倉，要求他們用三天時間準備，到時候趕到陳倉，看到城中起火，攻進城去，拿下陳倉即可。以此來穩住大軍，也穩住對手。而他自己則悄悄率領張苞和關興，神不知鬼不覺地抄近路快速奔襲陳倉。

諸葛亮突然兵臨城下，病重的郝昭猝不及防，連忙命人登城防守，但為時已晚，城內四處火起，很快諸葛亮就攻進了城裡，郝昭聽了，驚嚇而死。等到魏延和姜維趕到城下，看到城裡靜悄悄的，既沒有旗幟，也沒有打更放哨的人，感到十分不解。這時忽聽一聲炮響，旌旗都豎了起來，一個羽扇綸巾、鶴裳道袍的人出現在城頭，只聽他大喊一聲，你們兩人來遲了！魏延和姜維這才知道陳倉城早已被諸葛亮佔領，連忙稱讚諸葛亮真是神人。

突襲陳倉，諸葛亮搶在眾人的前面，為此贏得了先機。這件事可以看出諸葛亮敏銳的嗅覺和快速的反應能力。面對郝昭病重這個同樣的機會，各人的認識不同，反應不同，結果自然也不同。諸葛亮第一時間做出反應，採取了行動，為了出奇制勝，並沒有忘記迷惑對手，讓魏延和姜維兩個最有名的將領，大張旗鼓，緩慢地進軍，而自己趁人不備，突施殺手。郭淮也意識到郝昭病重的危機，但他的反應太遲緩，根本沒有料到諸葛亮行動那麼快，一步落後，步步落後，他也只能眼睜睜看著陳倉城白白地落到了諸葛亮的手裡。所謂先機，就是看誰的反應快、行動快。

任何計謀的實施，時機把握都非常重要。時機稍縱即逝，合適的時間，合適的地點，採取合適的行動，那麼這個計謀就是一個金點子，否則錯過了時機，計謀就是餿主意了。

諸葛亮不費吹灰之力拿下陳倉，此計成功，貴在用巧，巧就巧在一個快字。魏延和姜維也算是玩計謀的高手，尤其是姜維，還被當成了諸葛亮的接班人，連他們都被諸葛亮騙了，竟然沒有看出一點端倪和破綻，那麼瞞過對手也就不費什麼力氣了。虛虛實實，真真假假，是玩計謀的訣竅，魏延和姜維出兵是虛，自己帶領張苞和關興偷襲是實，虛實結合，出手神速，讓諸葛亮把這一招數運用到了極致，除了司馬懿，確實再也找不到一個旗鼓相當，能跟他玩上一玩的對手。結果就逼迫曹魏政權再次請司馬懿出山，為後來的兩人鬥法，點燃了導火線。

把突襲陳倉放在諸葛亮一生所用的計謀當中去觀察，就會發現，這是他完成得最輕巧、最漂亮的一次偷襲。六出祁山，就是諸葛亮的計謀試驗場，這裡的地理環境，也非常適合諸葛亮使用計謀。他與司馬懿的鬥智，其實鬥的就是糧草供應，後勤補給。雙方都窩在大山中，互相對峙，就看誰能耗得起，誰能堅持到最後，誰就會笑到最後。

諸葛亮看到了陳倉的重要性，司馬懿也看到了，很可惜，那時司馬懿還正靠邊站，沒他的事，所以被諸葛亮趁機撿了個便宜。從歷史記載來看，這次突襲陳倉，諸葛亮是想出奇制勝，不過是魏延奇計的翻版。與其攻陳倉，倒還不如出奇兵，翻越子午谷，直搗潼關。諸葛亮在軍事理論上是一代大家，但他的臨戰能力總感覺少了一些冒險精神。他和魏延就像兩個賭徒，魏延賭紅了眼，什麼都敢往賭桌上押。諸葛亮只敢下小注，賺了更好，賠了也不傷筋骨。

羅貫中為了展示諸葛亮的超人智慧，幾乎使六出祁山的過程，一步一個計謀，好像所有的英雄好漢和軍事力量都成了計謀的道具和擺設，無關輕重，也無所作為，雙方比拼的只是心眼，誰的計謀高，誰就能拔得頭籌，佔據主動。這多少有點誇大了智謀的作用，讓人們誤以為，只要有了高超的智謀，有沒有軍事實力，都不是什麼大問題。這種觀點害人匪淺，諸葛亮六出祁山均告失敗，就是最好的證明。

# 劫寨破曹：親兄弟也靠不住

偷襲曹營，氣死曹真，是諸葛亮六出祁山中的得意之作。

張苞死後，諸葛亮也大病了一場，於是回成都養病。此時曹真卻病好了，聽說諸葛亮回了成都，就和司馬懿一起率領四十萬大軍，來攻打漢中。諸葛亮知道後，當然會領兵拒敵。諸葛亮不僅是一個足智多謀的軍事家，還是一個大名鼎鼎的天文學家，他夜觀天象，預報一月之內必有大雨，所以安排部隊準備好防雨的糧食和柴火，堅守不出，與曹軍對峙。司馬懿也是一個天文學家，他也預報會下雨，就建議曹軍在陳倉城裡安營紮寨，等大雨過後再進軍不遲。那時候，陳倉已經是一座空城，諸葛亮撤退時，把陳倉給燒掉了，魏軍只好簡易的駐紮。

果然不出諸葛亮和司馬懿所料，沒過幾天就開始下大雨，整整下了一個多月，曹軍缺柴少糧，損失慘重，只好退兵。敵退我進，這是諸葛亮的戰略。可是當曹軍退去，諸葛亮並沒有命令部隊追擊，而是另闢蹊徑，從別的路向中原挺進。司馬懿見諸葛亮不來追趕，就猜到蜀軍會出岐山來進攻魏國。可是曹真不相信司馬懿的話，於是兩個人就打賭，司馬懿說，如果十天內蜀軍不來，我就把臉抹成紅色，穿上女人的衣服；曹真說，如果十天內蜀軍來了，我就把皇帝賜給我的東西送給你。於是，兩人兵分兩路，守株待兔，等待諸葛亮來進攻。

諸葛亮把部隊分成左中右三路出祁山，向魏國進發。魏延和陳式等四名將領帶領一路人馬，從箕谷方向進軍，將要進入箕谷的時候，諸葛亮忽然派鄧芝來下通知說，箕谷裡可能有伏兵，不要進去。陳式聽了不以為然，魏延此刻對諸葛亮不聽他的計謀心裡也很不服氣，聽了陳式的話，也隨聲附和，這樣一來，陳式就更不把諸葛亮的命令當回事，率領五千人馬，貿然進入箕谷。結果被司馬懿關門打狗，打得大敗。

陳式違抗軍令，回去必死無疑，而魏延能逃過懲罰，鄧芝卻一點也不理解。諸葛亮告訴他，我知道魏延早晚會造反，留下他，是要利用他的勇猛。

曹真不相信蜀軍回來進攻，所以也沒當回事，等了十天後，笑話司馬懿。到了第七天，哨兵來報告說，發現了蜀國的偵察兵，曹真就派出一支人馬去追擊，結果，這支人馬落入蜀軍的圈套，被包圍活捉。蜀軍換上魏軍的衣服，打著魏軍的旗號，去矇騙曹真，曹真果然上當，被諸葛亮率領大軍，一舉攻破了營寨，多虧司馬懿趕來，才救了曹真的小命。曹軍大敗，只好退後安營紮寨。

曹真不幸被司馬懿言中，又中了諸葛亮的詭計，羞憤難當，一病不起，為了穩定軍心，他又不敢回都城去養病，只好在軍營裡耗著。諸葛亮早預料到了這一點，於是把俘虜的魏兵都放了回去，讓他們給曹真捎了一封信。曹真不看信還好，看了信，一口氣沒上來，就被活活氣死了。到此，曹魏政權的曹真時代徹底結束，進入了司馬懿左右政局的時代。

曹真不死，司馬懿難掌大權，施展不開手腳，諸葛亮與司馬懿的鬥法，取勝的機會，大大增加。如今曹真一死，司馬懿少了一些掣肘，實際上增加了諸葛亮鬥法取勝的難度。

劫寨破曹真這個案例，在整個《三國演義》裡，是一個比較特殊的案例，也非常具有代表性。為什麼這樣說呢？這次鬥法，雙方均是內鬥外鬥相結合。諸葛亮想出計謀，就遇到了執行的問題，於是他要與魏延和陳式爭鬥。司馬懿料到了諸葛亮的詭計，準備採取相應的對策，這時候，他也遇到了執行的問題，他要與曹真對抗。這樣內爭外鬥的結果是，雙方各有勝負，各有損傷，諸葛亮損失了陳式，曹魏方損失了曹真，諸葛亮略佔上風。

羅貫中寫的《三國演義》，前半部基本上寫的是劉備的奮鬥史，忠義當頭，縱橫天下；後半部寫的是諸葛亮的智謀史，寫他如何用智謀實現匡扶漢室的壯志。很可惜，老天又給諸葛亮找了一個對手司馬懿，司馬懿這個人最大的優點就是能忍，無論是在官場上還是在戰場上，在形勢不利時，他比誰都能忍。任憑諸葛亮跳腳罵大街，他自裝聾作啞，在蜀軍士氣正盛時，他用一個字「拖」字，就把諸葛亮熬死在了五丈原。

曹真一死，司馬懿獨攬兵權，他與諸葛亮也開始了直接面對面的較量。司馬懿期待這一刻已經很久，他應該感謝諸葛亮，為他除去了眼前最大的障礙。他要和諸葛亮比試一下高低，看看誰才是天下最聰明的人，誰才是最會玩陰謀詭計的人。

氣死了曹真的另一個惡果，就是導致後來司馬氏的篡政。諸葛亮不僅為自己樹立了死敵，也開始為三國掘墓。

# 張郃中計：不動腦就動手

諸葛亮出祁山，可謂好事多磨。在他第五次出岐山，與司馬懿相持不下的時候，後方李嚴又來爆料說，東吳要與魏國聯手，攻打蜀國。諸葛亮只好撤兵回成都，在撤退的路上，才發生了張郃中計這件事。

諸葛亮最害怕的就是東吳趁他在北方與曹魏交戰時，從背後下手，現在防守東吳的李嚴親自捎信來說東吳蠢蠢欲動，他哪有不害怕之理，所以匆忙率領大軍班師回朝。撤退勢在必行，但如何撤退，諸葛亮就要費一番腦筋了。對面曹魏幾十萬大軍虎視眈眈，趁蜀軍撤退之際，傾巢出動，追殺過來，也是件要命的事。

司馬懿當然也不是等閒之輩，他知道諸葛亮不會不防備他，簡簡單單就撤退，所以命令大軍不可輕舉妄動，直到確認了諸葛亮確實已經撤退，才進軍追擊。他深知諸葛亮詭計多端，一般人不能勝任追擊的任務，為此，司馬懿也很猶豫。

這時候，張郃挺身而出，主動請命，前去追擊。司馬懿很瞭解張郃的性格，便說你不行，你太直率，不是諸葛亮的對手。他這樣說也是半真半假，一方面是激將法，另一方面也是在提醒張郃，對付諸葛亮，必須小心謹慎，不能盲目冒進。張郃不聽，執意要去，司馬懿只好派他前去。

雖然司馬懿一再叮囑張郃要小心，但張郃還是落入了諸葛亮的圈套。諸葛亮對付張郃的計策也不複雜，就是知道他爭強好勝，只要激起他的鬥志，讓他殺得興起，一切就搞定了。他讓魏延和關興兩人率軍埋伏在路上，反覆引逗張郃，每次都故意敗給他，丟盔卸甲，顯得很狼狽。張郃真的以為魏延和關興打不過他，所以就想一鼓作氣消滅他們，這樣一路追下去，打打停停，忘了司馬懿的叮囑，直接就追到了諸葛亮為他量身訂做的包圍圈。

真可謂兵不厭詐，剛開始時，張郃還是非常小心，每到一處，都先察看察看有沒有埋伏。諸葛亮為了不讓張郃起疑，故意不設埋伏，令他麻痺大意。最後，張郃殺得興起，被諸葛亮誘進山谷，截斷了退路，一陣亂箭，射死在谷中。高手用計就是這樣，虛虛實實，真真假假，最後讓你分不清東西南北，只能乖乖地任其宰割。

越是擅使計謀的人，越容易輕信別人，中別人的計謀，上別人的當。這次撤兵回成都，諸葛亮就是中了李嚴的計謀。原來李嚴督辦軍糧不力，怕諸葛亮怪罪他，故意謊稱東吳來犯，迫使他撤回成都。玩鷹的人被鷹啄了眼，諸葛亮能不生氣嗎？他一氣之下，上書把李嚴貶為庶民。

有個非常有意思的現象是，諸葛亮運用最成功的一些計謀，恰恰都是逃跑的時候實施的。為什麼會這樣呢？想來原因也不複雜，進攻時，對手比較重視，特別是司馬懿，是和他同一級別、同等水準的老狐狸，任憑你有千萬條妙計，我就是當縮頭烏龜，堅守不出，不給你施展的機會。而撤退逃跑時，對方反而認為有機可趁，出手未免大膽一些，這樣一來，就給了諸葛亮施展身手的機會。空城計、減灶退兵、死諸葛嚇退活司馬，加上這次張郃中計，諸葛亮可算是把逃跑的計策用到了爐火純青的地步，這不得不說是對他的一個莫大諷刺。

蜀軍之所以屢次出現撤退的局面，說到底還是蜀國實力不濟，單純靠個人的計謀，要取得兩個國家之間戰爭的勝利，是遠遠不夠的。戰爭，最後還得靠實力說話。如果諸葛亮有百萬雄兵，生吃也把曹魏吃掉了，還用得著玩什麼陰謀詭計嗎？反過來說，以贏弱之兵去攻打曹魏的強大之師，不碰個頭破血流才怪，雖然偶爾能用點小花招來討點小便宜，但真正要決一死戰，消滅曹魏，那不過是一廂情願的癡人說夢罷了。

關於這一點，我們從李嚴用假情報欺騙諸葛亮這件事上，就能看的很清楚。李嚴當然知道自己假傳情報的後果，但他之所以敢冒著掉腦袋的危險，把諸葛亮騙回來，就是基於蜀國的實力狀況。他認為蜀國國力並不強盛，還不足以能夠支撐打贏一場戰爭，十幾萬大軍的糧草籌集都成問題，更何況去消滅一個國家。諸葛亮當然也深知這一點，但他心有不甘，如果不去伐魏，感覺面子上也過不去。既然答應了先主劉備，就得給自己找臺階，能不能打贏，是實力問題，敢不敢去打，就是態度問題了。所以，諸葛亮即便知道李嚴的心思，他也不會說破，而且趁機打壓了政治對手李嚴，為實現自己獨攬朝綱的野心，清除了障礙。為了表示自己大人大量，諸葛亮還提拔了李嚴的兒子當官。其實他自己知道，那是對李嚴的一種安慰和補償罷了。

用計殺了張郃，使魏國蒙受了一定的損失，司馬懿被迫撤兵回朝，但依舊無法從根本上動搖魏國的實力。諸葛亮雖然取得了一些小的勝利，但在大的戰略上，並沒有討到什麼便宜。

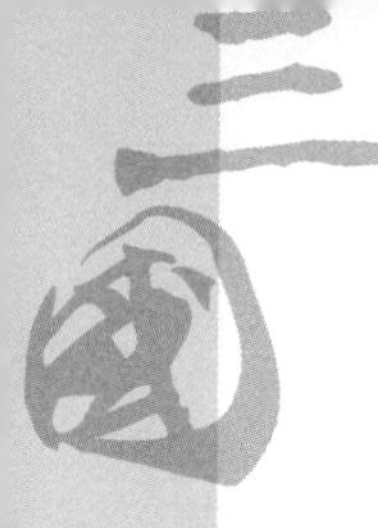

# 司馬探病：做女人又何妨

諸葛亮急於攻打魏國，司馬懿卻來個閉門不出，嚴防死守，讓諸葛亮乾著急。他們兩人彼此太瞭解，水準也差不太多，能力各有千秋，誰想一口吃掉誰，都不是件容易的事情。一個矛尖，一個盾厚，一時半會，難以分出高下。

老鼠不出洞，神仙也無法。按說司馬懿好歹也是一個大軍事家、戰略家，不至於怕諸葛亮。真刀真槍拉出去打一仗，也不一定打不過諸葛亮，問題是諸葛亮老是與他鬥心眼，玩花招，他有點不屑一顧，心想任憑你有千條妙計，我只是躲在營帳裡飲酒喝茶睡大覺，讓你乾著急沒辦法。諸葛亮最怕打消耗戰，只要把他耗得沒吃沒喝，失去了耐心，他自然就會知趣地撤退。高手過招，講究的不是過程，而是結果，並且不會在意採取什麼樣的形式，只要能夠抓住對方的弱點，克敵制勝，達到自己的目的，那就是高招。

諸葛亮最後一次出祁山，屯兵在五丈原，準備與司馬懿決一死戰。這次，司馬懿學得更乖了，無論你怎麼叫罵，就是不出戰。彼此對峙了一段時間，諸葛亮沉不住氣了，取出女人的頭巾和衣服，裝在一個大盒子裡，並寫了一封信，讓人給司馬懿送去。

諸葛亮在信中寫了什麼內容呢？其實也不複雜，就是說，「你司馬懿好歹也是統領一國軍隊的大將軍，將軍就應該披堅執銳，馳騁沙場，你老是縮在老鼠洞裡，就和一個婦人一樣沒出息。今天我給你送去婦人的頭巾和衣服，你要還有點羞恥心，感覺這是侮辱，就出來決一死戰，否則，你就接受婦人的待遇，甘當一個女人吧。」

司馬懿看了衣服和信，心裡很生氣，但表面卻裝作根本不在乎，大笑著說，「諸葛先生既然把我當成一個婦人，那我就把禮物收下。」他的意思很明顯，「你這是激將法，我才不上你的當。」

接著司馬懿向使者詢問諸葛亮的身體如何，休息的怎樣，每天能吃多少飯等等。使者一一如實回答，說諸葛亮日夜操勞，夜不能寐，寢食難安，每天只能吃很少一點飯。使者走後，司馬懿便對部下說：「諸葛亮食少事煩，活不了幾天了。」他當然不是在詛咒諸葛亮，而是根據諸葛亮急於決戰的心態和飲食狀況判斷出來的。

諸葛亮的手下楊顒曾經勸諸葛亮說：「我看你經常親自批閱很多章呈，完全沒有必要啊，只要你治國有章法，上下人就沒有敢欺騙你的。治理國家和治理家庭一樣，哪有主人事必躬親，大小事都要過問的。地讓奴僕們耕種，有事情就交給奴僕們去做，你應該從容自在，高枕無憂才對。最有水準的管理者應該坐而論道，不管那些瑣碎的事情，像古代的陳平，竟然不知道有多少錢。像你這樣，大大小小的事情都要親自處理，嘔心瀝血，不累壞身體才怪呢。」諸葛亮聽了，心裡很感動，哭著說：「不是我不知道這個道理，我受先帝的委託，輔佐聖上北上伐魏，匡扶漢室，責任重大，我怕別人不像我一樣盡心賣力。」楊顒死後，諸葛亮想起這事，還感傷落淚。

可是感動歸感動，感傷歸感傷，諸葛亮仍然不放心授權，總是事必躬親。正是這種對人的極端不信任，才導致諸葛亮操勞過度，積勞成疾，再也回不去成都。所以說，事必躬親的領導者，只能算是一個盡職的領導者，未必是一個成功的領導者。

諸葛亮雖然老謀深算，但使出了吃奶的力氣，也無法誘使司馬懿出戰，在這次鬥法之中，司馬懿明顯佔了上風。他之所以不怕侮辱，能沉得住氣，是因為他對雙方的處境太瞭解了。司馬懿知道，越是耗下去，諸葛亮越急躁，越寢食難安，他獲勝的把握就越大。他心裡肯定整天這樣琢磨：「這時候著急的是他諸葛亮，而不是我司馬懿，每拖一天，諸葛亮的大軍就要消耗大量的給養，而他們的後勤供應又那麼困難，他們消耗不起。戰爭打的就是金錢，尤其這種曠日持久的消耗戰。蜀國的經濟實力遠不如魏國，加上翻山越嶺供應軍隊的給養，不僅代價大，而且不如魏國方便。我能消耗得起，你消耗得起嗎？你說我是婦人，我就是婦人了，即使拖不死你，也拖得你半死。」大丈夫能屈能伸，司馬懿的這一策略，才顯出他與諸葛亮旗鼓相當的水準。所謂高手，就在於能夠審時度勢，不以一時一事得失論成敗，不拘成法，立足高遠，謀求最後的勝利。

諸葛亮在他最想實施自己抱負的時候，棋逢對手，遇到了司馬懿，是他的不幸，也是他的大幸，因為只有高水準對手才能成全高水準的自己。可惜的是，聰明的諸葛亮卻不懂得授權的道理，難道是他太聰明，不滿意他人的行政績效，才大小業務一手攬下的？不論如何，諸葛亮身子忙壞了是事實，因此被後人批評也是事實。

# 計出錦囊：我留了一手

諸葛亮善於玩錦囊計，劉備成親的時候，多虧他的三個錦囊，才使得劉備白白賺了個老婆，還弄得孫權和周瑜，賠了夫人又折兵。還有一次是出祁山的過程中，諸葛亮分別給了姜維和廖化一個錦囊，讓兩人偷襲司馬懿大營，結果打得司馬懿大敗而歸。最後一次使用錦囊妙計，就是諸葛亮死後，除掉魏延這件事。

諸葛亮簡直是神人，他早就看出魏延長有反骨，命中註定會造反，只是因為自己還能控制住他，而使用他的勇猛，所以沒有清理掉他。但諸葛亮也知道，自己一死，魏延就沒有什麼可以忌憚的了，造反是一定的。因此，諸葛亮在臨死前，給了楊儀一個錦囊，告訴他，只有魏延造反的時候，才可以拆開看。

果然不出諸葛亮所料，他一死，魏延立刻舉起造反的大旗。原因很簡單，諸葛亮臨死時提拔楊儀統領全軍，而沒有提拔魏延，魏延不服氣，於是決定投靠魏國。這時候，馬岱表示追隨他，並拍他的馬屁說，「你魏延水準那麼高，智勇雙全，跟著別人受氣做什麼，自己出來稱王稱霸多好啊。」

魏延聽了心裡很得意，當即同意了馬岱的建議，率兵去攻打楊儀和姜維把守的漢中。楊儀是一個文人，打仗不行，姜維知道魏延的厲害，一時也想不出擊退他的辦法，這時候楊儀想起了諸葛亮留下的錦囊妙計。

姜維聽了有諸葛亮的錦囊妙計，於是才放心地出城迎戰。楊儀對魏延說，「丞相對你很好，你為什麼造反呢？你敢不敢連喊三聲『誰敢殺我？』你要是敢喊，我們就投降，城池歸你了。」

魏延一聽，哈哈大笑，心想，「諸葛亮活著我怕他，死了難道我還要怕他嗎？別說喊三聲，喊一萬聲又如何？」

於是，他放開喉嚨大喊一聲：「誰敢殺我？」話音未落，身後就傳來一聲大喝：「我敢殺你！」魏延被一刀砍下馬去。這個人就是馬岱，原來他投降魏延是諸葛亮有意安排的，就等魏延大喊「誰敢殺我」的時候，趁其不備，出其不意，一刀結束了他。

魏延按時造反，馬岱按時殺了魏延，為蜀國清理了門戶。如果事情果真按照諸葛亮預測發展的，那麼他真是神人了。也許很多人都想不明白，諸葛亮的錦囊妙計為什麼成功率那麼高，難道他真像神仙那樣，掐指算來，天下事已經盡在掌握之中？關於這一點，不僅我，就連大名鼎鼎的魯迅先生，也沒有想明白。

諸葛亮確實智慧過人，對形勢的判斷確實比較準確，觀察人也比較仔細，常常能想出出人意料的高招，但如果說他能未卜先知，就未免誇大其辭了。三次錦囊妙計，天下英雄都被玩弄於他的股掌之上，成了他實施計策的木偶，無論怎麼說，都與常理不符。出於羅貫中寫的是小說，為的是塑造人物形象這一目的，我們尚能理解他對諸葛亮的神化，不去考證其事實是否會如此。所以暫且相信了諸葛亮的錦囊妙計都是真的，只有如此，才能更好地明瞭羅貫中的良苦用心。

做為文學人物形象的魏延，已經成為了叛賊，這個錦囊妙計也為諸葛亮成為一個生前死後永遠受人景仰的忠臣賢相劃上了一個完滿的句號。但是，我們只要細讀小說，就不難發現諸葛亮是透過壓、激、逼、誘的方法一步一步把魏延引入了死亡的陷阱。

壓，對魏延實行長期的政治壓迫和身心壓迫，養成他強烈的反抗心理，為後來所謂反叛奠定基礎。

激，諸葛亮歸天之後，魏延理應總領兵權，但諸葛亮在生前卻暗渡陳倉，把兵權交給楊儀，此人是個小人，與魏延一向不合。諸葛亮巧妙地利用兩人的矛盾，激起事變。

逼，魏延燒毀棧道，阻止楊儀回蜀，本是脅迫楊儀交出兵權，他飛章奏報楊儀造反，也是希望得到朝廷支持，解決事變。可是在魏延等候消息的時候，蜀軍卻對他採取了軍事行動，這就將魏延逼上了梁山，不反也得反。

誘，諸葛亮生前設計讓馬岱引誘魏延，先取漢中，隨後進攻西川。魏延聽從馬岱之計，遂引兵直取南鄭。至此，他嚴絲合縫地坐實了反叛罪名。

由此可見，魏延之反，實乃諸葛亮一手設計，巧妙構陷造成。其實魏延本無反心，即使反，也是不反蜀漢，只是反壓迫而已。諸葛亮不僅害了一個魏延，也毀了一個蜀漢政權。

再看諸葛亮重用的楊儀，在魏延死後不久，就因為想造反被貶為庶人。諸葛亮在死前還說：「我

用的人，不可親廢。」結果，他終於失策了。

諸葛亮這一生，就是玩弄智謀的一生，靠智謀起家，靠智謀贏得了權力和地位。他幾乎難逢對手，無論是周瑜還是司馬懿，都沒能奈何得了他。可是這兩個成就他的對手，一個被他氣死，一個卻熬死了他。差別僅僅在於彼此的心胸不同，而非智謀勝過他一籌。在他與別人鬥計的過程中，唯獨有一個人例外，那就是陸遜。陸遜本來能夠成為諸葛亮一個很好的對手，但不知為什麼，諸葛亮跟他過招的機會並不多，只有一次火燒連營後，用八陣圖救了劉備。諸葛亮對陸遜的迴避，始終是一個難猜的謎，也許諸葛亮認為，陸遜時代的東吳，已經不是自己的敵人了。

諸葛亮最後一個錦囊，卻是用來對付自己人的，這就使原本簡單的事情，變得有意思起來。人有再多的心機，玩的計謀再多，水準再高，最後玩的都是自己，人永遠過不了自己這一關。

走在街上，回頭率就是高

# 第十四章

# 三國鬥法之偷樑換砥柱

## ——天下一桶官二代

# 曹奐被廢：升級就要清算

到了曹奐手裡，曹操創立的基業就徹底廢了。從曹操挾天子以令諸侯開始，曹魏真真假假控制政權六十多年，之所以真真假假，曹魏政權後期，也落入了被挾天子以令諸侯的尷尬境地。皇權被司馬氏家族控制，最後不得不重走漢獻帝老路，把帝位禪讓給了司馬炎。歷史就這樣驚人地相似，天道輪迴，報應不爽，當年曹操和曹丕如何對待漢獻帝，司馬昭父子就是如何對待曹家的。

從曹丕的孫子曹芳開始，魏國的實際大權，就已經操控在司馬懿手裡，等到司馬懿的兒子司馬昭繼承王位，一心想效法曹丕，先後廢掉了曹髦，再立曹奐，目的就想讓曹奐禪讓皇位給自己。很可惜，在他主意已定，準備實施自己當皇帝的計畫時，突然中風而死。司馬炎從他爹司馬昭手裡接過大權後，立刻效法曹丕，逼迫曹奐禪讓皇帝的位置。到此，曹魏政權宣告滅亡，中原開始歸於司馬炎建立的晉朝所有。

曹魏政權，實際上當過皇帝的，只有五個人，每個人在位的時間都不長，曹芳在位十五年是最長的。當皇帝最強硬的，當然是曹丕，他有絕對的權威，曹睿在位時，起碼還能控制住大局，但到了曹芳手裡，皇權逐漸被司馬氏家族控制。

魏蜀吳三國，到了後期，結局都差不多，國家政權都落入了權臣手裡，蜀漢落入了諸葛亮手裡，曹魏落入了司馬氏家族手裡，而東吳在孫權死後不久，權力也落到了諸葛恪等人手裡。到了晉朝，這種情況才逐漸有所改觀。

從曹操建立魏政權開始，曹魏一直是三國中實力最為強大的國家，幾乎控制了長江以北大半個中國的地盤，人口也是最多的，達到了四百多萬。魏國的興盛，源於曹操的兩個重要政策，一是強兵足食，實行屯田制，發展生產，穩定社會，使曹魏的經濟實力大增，改變了東漢末年由於軍閥連年混戰造成的「白骨露於野，千里無雞鳴」的悽慘現實，贏得了民心，打下很好的社會基礎。

二是廣攬人才，建立很好的人才選拔機制，唯才是舉，杜絕了宦官與外戚干政專權的現象，贏得士族階層廣泛的支持，為曹魏的興起，建立了很好的政治基礎。

曹操以仁德為立國之策，實施仁政，雖然這一策略被羅貫中蔑視，稱之為偽仁，曹操也被稱為奸雄，但這一策略的效果還是不錯。仁德向來是皇權中最大的力量，曹操正是瞭解到這一點，在對待天下百姓的問題上，順應時勢民心，在經濟上實行屯田制，發展生產，休養生息。在政治上挾天子以令諸侯，保持東漢帝制，用以彰顯自己的仁德，贏得各種政治勢力的支持。正是曹操的雄才大略，才為魏國打下這麼好的基礎，讓他的兒孫們可以坐享其成。

曹魏政權雖然防範住了宦官和外戚干政，卻沒有抵擋住朝臣獨攬大權的悲劇發生。其實，魏國真正能夠掌握皇帝權力的帝王，只有曹丕和曹睿，從曹芳開始，就成了司馬家族的天下。本來，曹奐是司馬昭給扶持上去的，目的是想讓曹奐把皇帝位置讓給自己，結果，司馬昭雖然做夢都想當皇帝，卻沒有當皇帝的命，在想下手之前，就一命嗚呼了。

曹奐原來的名字叫曹璜，按照朝廷的規矩，他是沒有資格當皇帝的，是司馬昭硬把他拉來當幌子用的。他的命運跟漢獻帝一樣，都是為了把祖宗弄來的皇帝位置轉讓給別人，才有機會坐一坐龍椅。司馬昭一死，他的兒子司馬炎立即命令曹奐把皇帝的寶座交出來，自己坐了上去。這就是歷史的輪迴，怎麼得來的，最後還得怎麼交出去。

在《三國演義》中，羅貫中最瞧不起的就是曹魏，一直堅持抑曹揚劉的立場，結果曹魏的實力卻最強大，發展的也最好。曹魏和蜀漢的結局雖然都差不多，最後都是大權旁落，真正的權力都操控在權臣的手裡，但在形式上還是有一點差別的。

蜀漢阿斗時代，雖然權力一直在諸葛亮和費禕等人手裡，但他們還都算忠臣，沒有取而代之的野心。而曹魏就不同了，無論是曹操還是司馬氏家族，都是拿皇帝當幌子，挾天子以令諸侯，實現自己獨攬大權的野心，並最終篡位稱帝。

羅貫中寫三國，無非是為了說明，曹魏的仁德是假仁德而真忤逆，蜀漢的忠義是真忠義，權臣們都是忠心耿耿，一心要讓劉氏政權發揚光大的，無奈阿斗自己不爭氣，不願把皇帝大戲進行到底罷了。這樣一來，就達到了徹底否定曹魏的目的，把曹操定位在奸雄的位置上，成為後人唾罵的小丑。

# 諸葛瞻戰死：
## 老子英雄，兒差點好漢

俗話說，老子英雄兒好漢。諸葛亮的一生是不用說了，是三國裡最耀眼、最吸引目光的超級巨星。他的兒子諸葛瞻，當然無法和他相比，不過也算是一個忠義之士，但是玩弄權術的水準差點，後來假裝有病，隱居在家。

司馬昭當政以後，派出了魏國最強的將領鄧艾和鍾會，他們各自領兵攻打蜀國。鍾會在劍閣纏住了姜維，使得蜀國後方空虛，而姜維又認為蜀國四周山川險峻，交通不便，很安全，不用擔心成都的安危。結果讓鄧艾鑽了空，抄小道，走近路，翻山越嶺，甚至不惜讓士兵裹上毛毯，從懸崖峭壁上滾下，最後突然出現在阿斗面前。阿斗沒辦法，只好請諸葛瞻出面，為他去充當盾牌，阻擋鄧艾的進攻。

很可惜，諸葛瞻不是他爹諸葛亮，不會施展陰謀詭計，只憑一腔忠君報國的熱血去沙場殺敵，結果中了鄧艾的埋伏，被迫退守綿竹城中，成了籠中鳥，甕中鱉。諸葛瞻是一個急性子的人，等不到救兵來，就主動出擊，與鄧艾決一死戰。這正中鄧艾下懷，三兩下就把諸葛瞻打得暈頭轉向，遍體鱗傷，為了表達自己忠貞，只好拔劍抹了脖子。看到親爹抹了脖子，諸葛瞻的兒子諸葛尚，也沉不住氣了，策馬殺出城，最後死於亂軍之中。

諸葛瞻臨危受命，要不是成都到了生死存亡的關鍵時刻，大概阿斗也不會想起這個智多星的後代。其實阿斗也害怕諸葛瞻會像他爹那樣，管束自己，制約自己，讓自己不能盡情享受美好生活。這也從另一方面反映了諸葛亮的可悲之處：吃力不討好，害得自己的子孫都和自己一樣認真呆板，討不了主人的歡心。可見，人不能藉著忠義的名頭，執拗地妨礙別人的幸福，否則，忠義就成了討人嫌的固執，自己也得不到什麼好處。

不管怎麼說，諸葛瞻還是沾了他爹諸葛亮的光，他的成就和地位，都是籠罩在諸葛亮的光環下。所以即便是與鄧艾決戰，他也抬出諸葛亮的遺像。綿竹一戰，諸葛瞻只是以死博得忠烈之名，除此之外，他也知道自己不可能抵擋住鄧艾的大軍，這是大勢所趨，非他一人之力能夠扭轉。

諸葛瞻最後出面，一定是羅貫中故意這麼安排的。諸葛亮做為作者極力褒揚的人物，他後代的表現，當然也至關重要。好在諸葛亮的兒孫們很給他面子，沒有讓他難堪丟臉，關鍵時刻，還是表現出了正直忠義的一面，沒有像劉備的兒子阿斗那樣，爛泥扶不上牆，關鍵時刻總是令人大跌眼鏡。在這些官二代裡，關興、張苞表現還都可以，尤其是諸葛瞻，讓羅貫中著實驕傲了一回。

放眼三國，諸葛氏家族都是以謀略著稱，東吳的諸葛瑾父子，蜀漢的諸葛亮父子，名頭都是響噹噹的。在官二代裡，尤其是諸葛恪，表現實在搶眼，一度成為東吳政權的主宰，這一點上，僅次於他的叔叔諸葛亮。但諸葛恪在品德上卻無法跟諸葛瞻相比，有點奸佞弄臣的味道，讓他們諸葛家族

光彩照人的形象，多少抹了點灰。

我們現代人讀三國，總是會讀出很多作者意想不到的東西來，這不能怪羅貫中，他所處的時代，有那個時代的世界觀和思維方式，不會超前到能與幾百年後的我們思維同步。例如對待諸葛瞻這件事上，要按照現代人的眼光來看，諸葛瞻的忠烈表現，恰恰是對諸葛亮的一個極大諷刺。諸葛亮智謀過人，沉穩老練，很少有衝動的時候，而他的兒子諸葛瞻卻有勇無謀，輕易就中了鄧艾的圈套，並且容易衝動，寧願送死也沒有耐心等待救援部隊的到來。這難道就是傳說中的物極必反嗎？父親以智謀成就事業，兒子卻以忠烈揚名，看來，有其父必有其子這句老話，需要改一改了。

# 司馬昭臨朝：走在街上，回頭率就是高

司馬懿很善於學習，他在曹魏當了大官，就開始向曹操學習，實施了挾天子以令諸侯的計謀。他的兒子自然也想學習曹丕，依葫蘆畫瓢導演了一次禪讓，讓皇帝把龍椅交給自己。司馬昭想當皇帝的想法，一點也不隱瞞，連不相干的過路人都知道，為此留下了一個成語，「司馬昭之心，路人皆知。」

司馬昭的水準，不如他爹司馬懿，但有一點勝過司馬懿，那就是膽子大。沒有他不想做的，也沒有他不敢做的。無論是跟隨他爹司馬懿出征打仗，還是接替他哥哥司馬師臨朝當政，他都敢作敢當。

到了曹髦時代，司馬昭已經牢牢地控制了曹魏的大權，並自封為晉公，人稱晉主。他是一個性格外向的人，高興不高興都寫在臉上，也是一個不會低調處事的人，總是飛揚跋扈。有一次，曹髦感到自己的權威逐漸失去，心裡非常鬱悶，就寫了一首詩，題目是「潛龍」，意思是，「如今我就像一條困在井裡的龍，動彈不得，不能上天入地，騰雲駕霧，只能看著泥鰍、鱔魚這些不入流的東西在上面手舞足蹈，盡情表演了。」

可巧這首詩讓司馬昭看見了，感覺很沒面子，於是勃然大怒，在皇帝的辦公大廳裡，當著眾多高官的面，斥責曹髦說，「我們司馬家為你曹家賣命，立了那麼多大功，你竟敢把我們比作泥鰍鱔魚，太不像話了！」司馬昭這樣一說，把曹髦嚇得渾身發抖，多虧司馬昭冷笑一聲走了，沒再說別的。

曹髦回到宮中，越想越不是滋味，覺得司馬昭要搶奪他的龍椅，所以才敢侮辱他。這樣欺負人的日子，實在太難熬，於是他下定決心要除掉司馬昭。可是曹髦實在太年輕，在政治上還不夠成熟，不知道鬥爭的殘酷性，他說做就做，帶領手下幾百人的衛隊，來到司馬昭家。司馬昭的弟弟司馬伷跑來勸阻，被曹髦手下喝退。中護軍賈充又率眾出來阻擋，曹髦拔劍親自迎戰，於是眾人退卻，但太子舍人成濟在賈充的授意下持戈上前，將曹髦刺死。

司馬昭老謀深算，當然假裝不知這事，貓哭老鼠假慈悲，檢討了一番自己，又謀劃著再弄一個皇帝充樣子，於是找來了曹璜，讓他改名叫曹奐，把他扶持坐上龍椅。曹奐，顧名思義，就是要改朝換代，讓他當皇帝，顯然就是走個過場。鑑於曹髦的下場，曹奐這個白撿來的皇帝，當然只能老老實實當個傀儡了。

本來，司馬昭也沒打算讓曹奐在龍椅上坐多久，他都和手下人商量好，要效法曹丕，讓曹奐把皇帝的位置禪讓給自己。可惜，司馬昭沒有做皇帝的命，不久就突然中風死了。正所謂，命裡有時終須有，命裡無時莫強求。司馬昭忙了半天，眼看著就摸到龍椅的邊，結果白忙了一場，讓他的兒子司馬炎撿了個便宜。司馬炎接班沒幾天，就逼著曹奐把皇位禪讓給了自己，從此天下進入晉朝時代。

羅貫中筆下的司馬昭，當然不是什麼好東西，在他眼裡，司馬昭同樣是亂臣賊子、奸佞小人。司馬昭篡政，基本上是完成取代曹魏的工作，這令羅貫中很解氣，唯一令他不高興的是，司馬昭主政時期，滅了他一直讚賞有加的蜀漢政權。

從天下大亂到三國紛爭，最後三國歸晉，前後不過百年時間，眾多英雄好漢紛紛湧現，你方唱罷我登場，最後都為司馬家族做了嫁衣。這可能是羅貫中不願意看到的，而他所推崇的忠孝仁義和智謀，最終並未形成一統天下的氣候，多少讓他心有不甘。

所以在《三國演義》的處理上，他把更多的筆墨都給了劉備和諸葛亮，而對於後諸葛亮時代的英雄人物，則進行了簡單概念化處理。尤其是對司馬昭，更是不公平，大多數描寫，都站在貶損的立場上。其實，司馬昭是一個很有才華的人，書法文章都很漂亮，還英勇善戰，也是一代豪傑。

司馬家族最後能一統天下，顯然與司馬昭的辛苦打拼分不開。天下三分，就是皇權力量三分，當阿斗的蜀漢逐漸失去了劉備的忠孝仁義和諸葛亮的智謀，東吳孫皓逐漸失去了孫權辛苦幾十年累積下來的智勇誠信時，司馬懿和司馬昭父子卻在中原大地繼續一枝獨秀，大玩仁德之道，時隔百餘年後，再次把天下皇權凝聚在了一起。可見，為政長久，既不是忠義，也不是智勇，而是盡得天下民心的仁德，哪怕這仁德是偽善的。

# 阿斗樂不思蜀：哪裡好玩哪裡有我

阿斗比他爹劉備的命好多了，過了四十多年的皇帝好日子，而且比起劉備，少操了無數的心，是個懂生活、會享受、非常講究生活品味的官二代。阿斗之所以能夠在天下紛爭的歲月裡，獨享無憂無慮的生活，皆來自他對生命本質有著超越千年的清醒認識，有一個非常好的心態。他認為生命比什麼都重要，人活著就是為了快樂地生活，並且講究生活品質，追求快樂人生。他的這種人生觀，當然不會被那個時代迂腐的人所理解，人們甚至用樂不思蜀來嘲笑他。

三國中的阿斗，早已被眾人誣衊得醜陋不堪，好像他根本不配當蓋世英雄劉備的兒子，是一個窩囊廢，道道地地的可憐蟲。但如果換個角度來看，阿斗還真是一個了不起的人物，而且並不比三國時期那些所謂的英雄遜色。為什麼這麼說呢？仔細讀讀羅貫中的三國，剝離他那些帶有偏見的描述，大家自然會發現阿斗的優點。

首先，阿斗有一個樂觀的人生態度，討厭戰爭，嚮往和平穩定的幸福生活。劉備準備率領大軍討伐東吳，為關羽報仇，臨行問阿斗有什麼話說，阿斗笑嘻嘻地回答，聽說東吳的一種魚很好玩，希望父親能帶回幾條。可見阿斗並不關心戰爭，更關注生活。諸葛亮屢次出兵伐魏，阿斗也勸告說，如今三國鼎立，正是和平好時候，叔叔你為什麼不好好享福，還要興兵打仗呢？

阿斗之所以在沒有父親的庇護下，獨享皇帝幸福生活四十多年，最重要一點是他有著異於常人的容人之量。這一點上，連劉備也自愧弗如。他容忍了諸葛亮專權十一年，容忍蔣琬、費禕、姜維等人把持朝政三十年，他的人生態度是，只要能保證他的幸福生活，你們愛怎麼折騰就怎麼折騰。而且非常仁義，從不主張殺人，對待那些犯了錯誤的大臣，也是建議盡量不使用死刑。魏延造反被殺，令他感到惋惜，賜了口棺材，讓人好好埋葬。

當然，阿斗也並非是昏庸無能的糊塗蟲，其實他的頭腦非常清醒，在假裝糊塗中，知人善用。諸葛亮在位時期，他迫於無奈，但又看中了諸葛亮過人的本事，所以任憑他一手遮天。諸葛亮一死，他立刻廢除了丞相制度，雖然繼續沿用諸葛亮的治國之策，但把權力分散到蔣琬、費禕兩人手裡，讓兩人互相制約，如同今天的三權分立，使蜀國再沒有出現一人獨攬朝政的現象。等到蔣費兩人死去之後，他就一人獨掌朝綱，雖然讓姜維輔佐他，卻並沒有給姜維太大的權力，確保了自己地位的穩固。

人們最不齒阿斗的，莫過於樂不思蜀了。其實在這件事上，才更能看出阿斗豁達的人生觀和超人的政治智慧。大家不妨站在他的角度，認真考慮一下，蜀國的國力確實不如魏國，被擊敗完全正常，沒有什麼令人感到意外的地方。這種情況下，阿斗做了俘虜，如果他一味逞強，表現出寧死不屈的硬骨頭形象，那他非被司馬昭殺掉不可。

再者說，敗軍之將尚不可言勇，何況一個國破家亡的君主？蜀國無論從哪方面都不是魏國的對手，做為一國之君的阿斗清楚地知道，按當時的局勢，只有不戰而降才是最佳選擇，無謂的掙扎和反抗只會遭到更嚴厲的打擊。所以，他遞上一紙降書，用一個亡國之君無能之輩的罵名保證了子民的平安。可是他的善舉與中國自古大肆宣揚的寧死不屈、打腫臉也要充胖子的道德觀念格格不入，所以遭到了歷代人的非議。

從樂不思蜀這件事上，我們完全能夠看出阿斗不做作、不虛偽，不為了虛假的名節，故意裝出悲傷的樣子，而是追求自然本真的生活態度。當時，司馬昭和阿斗一起飲酒，司馬昭為了試探阿斗是否真心投降，故意讓樂隊演奏蜀國的音樂，別的人都感到悲傷，而阿斗聽到音樂卻非常開心快樂。這種發自內心的正常反應，卻被很多人譏笑，司馬昭甚至對賈充說，這樣一個糊塗蛋，別說是姜維，就算諸葛亮活到現在，也幫不了他的忙。

賈充回答說，如果他不是一個糊塗蛋，你怎麼能吞併蜀國呢？司馬昭不懷好意地問阿斗，你還想你的蜀國嗎？阿斗不假思索，脫口而出，我在這裡很快樂，為什麼要思念蜀國呢？他的一個手下郤正聽說了就教他說，以後司馬昭再問你這話，你應該大哭著說，祖宗的墳墓都在蜀國，我日夜惦念，這樣司馬昭就會放你回去了。等司馬昭再問劉禪，他果然就那樣回答了，回答完閉上眼睛，假裝要哭的樣子。司馬昭當場揭穿他說，我怎麼覺得這是郤正的口氣啊。阿斗大吃一驚說，你說的一點沒錯。眾人聽了都哈哈大笑。司馬昭非常喜歡阿斗的誠實，不僅沒有殺他，還給他封了侯，讓他享受不錯的生活待遇，繼續過著無憂無慮的幸福生活。

顯然，羅貫中這樣寫阿斗，是充滿貶損之意的，有點哀其不幸，怒其不爭的意思。其實，樂不思蜀正是阿斗的大智慧。做為階下囚的亡國之君，稍有不慎便是滅頂之災，想要保全自己的性命，就必須給人一個「此人不足為慮，我無憂矣」的印象。於是阿斗只好「此間樂，不思蜀」，讓司馬昭對他失去戒備的心理。

阿斗不愧是天才的演員，其精湛的演技不僅騙過了奸詐的司馬昭，還騙了後世的人們。

# 孫皓降晉：嘴上永遠不服輸

東吳的孫皓當了皇帝後，和阿斗一樣，後期都開始重用宦官，走上東漢末年的老路。司馬昭吞併了西蜀，下一步自然就會盯上東吳。很可惜，他還沒來得及揮師江東，就一命嗚呼，統一天下的大任，只能落在了他的兒子司馬炎的肩膀上。

司馬昭吞併東吳的計畫，已經運作很久了，這個計畫就是由著名的人物羊祜來實施的，羊祜臨死，推薦杜預擔綱來完成吞併吳國的重任。很快，杜預就率領大軍揮師渡江，東吳軍隊望風而逃，紛紛潰散，杜預兵臨石頭塲下，逼迫孫皓效法阿斗，把自己用繩子捆綁起來，出城投降。

本來東吳的實力比魏國就差得遠，蜀國一被消滅，唇亡齒寒，吳國的好日子自然也就到了頭。除了國際形勢嚴峻以外，東吳的內部狀況，也註定了它滅亡的命運。

在玩政治權術和政治策略的水準上，孫皓顯然不如司馬昭、司馬炎父子。他是一個只會吃喝玩樂、驕奢淫逸的主兒，並且兇惡殘暴，濫殺無辜，致使眾叛親離，盡失民心。他在坐穩江山後便露出豺狼本性，把擁立他的家臣張布夷滅三族，然後笑嘻嘻的對他的寵妃張美人（張布之女）說，

「妳知道妳爹到哪裡去了嗎？」張美人痛不欲生破口大罵，孫皓便叫人用亂棍將她打死。後來他又想念張美人，便叫人把張美人已出嫁的妹妹搶來，晝夜摧殘。

為了淫樂，他下令皇親國戚和大臣所生的女兒，到了十五歲都要讓他過目，看不中之後才能出嫁，否則就是欺君。他還在宮中挖了一條河，哪個宮女被他玩夠了或是犯了錯，就殺掉扔入河中讓水沖走，這樣的事情幾乎天天都在發生。他殺人的方法也極其殘忍，挖眼、割鼻、斷肢、扒皮，不一而足。

一次他的一個愛妾到集市上搶東西，被管市的查處，孫皓便令人用燒紅的鐵鋸把管市之人的頭割下來示眾，簡直連一點人性都沒有。他還深知酒後吐真言這句話的奧妙，常常大宴群臣，把他們統統灌醉，又安排十個人當糾察官，酒宴結束，就讓這些糾察官舉報大臣們喝酒時犯下的過錯，然後將這些犯錯的大臣剝皮挖眼。

孫皓如此荒淫無道，吳國的上上下下都覺得很快就要亡國了，但孫皓自己卻不這麼看，雖然如此無道，卻不妨礙他也有一個偉大的夢想。他夢想有一天，能夠打到長江對岸去，消滅晉國，統一中國。但美夢終究是美夢，總有醒來的一天。晉國的將領杜預率領大軍趁東吳天怒人怨之際發動攻擊，勢如破竹，沒費吹灰之力，就讓孫皓自縛納降了。

孫皓歸降後，晉武帝司馬炎沒有殺他，而是賜他為歸命侯並閒養到死。但他並沒有像蜀漢後主阿斗那樣樂不思蜀，而是憑藉著自己的傲氣與才情急智處處維持自尊。據《資治通鑑》記載，孫皓被送到洛陽後，晉武帝對他說：「朕設此座等待您很久了。」孫皓也不卑不亢地說：「我在南方，也設此座以等待陛下。」這時賈充走過來對孫皓說：「聽說你在南方鑿人的眼睛，剝人的臉皮，這是什麼樣的刑罰呀？」孫皓不動聲色地說：「人臣有弒殺自己君主的，以及奸惡不忠的，就用此刑！」意思是像你賈充這樣不忠不義的人，就應該受此刑罰。

一次，王濟與晉武帝下棋時也曾明知故問地說：「歸命侯，聽說你過去經常剝人的臉皮，這是為什麼呢？」孫皓又被揭開了傷疤，感到很難堪。這時他看見王濟把兩隻腳前伸到棋盤下，立刻反唇相譏道：「對君王無理的人，就該剝他的臉皮啊。」說完，立即把棋枰舉起來，王濟被這突如其來的舉動搞得十分狼狽，連忙縮回了雙腳。

還有一次，晉武帝在宴會上問孫皓：「聽說南邊人好作《爾汝歌》，你能作一首嗎？」孫皓當即舉起酒杯對晉武帝說：「昔與汝為鄰，今與汝為臣，上汝一杯酒，令汝壽萬春！」一口一個「汝」字，令晉武帝好生尷尬。

孫皓投降，天下歸一，皇權三分的局面徹底結束，《三國演義》的故事到此也畫上了句號。

歷史的發展就是這樣，總是在不停地推陳出新，不停地用先進的東西取代落後的東西。北方崛起的曹魏勢力，代表著進步的力量，在與蜀漢所謂的皇權正統勢力的鬥爭中，最終佔了上風，脫穎而出，重新統一了全國。這對於羅貫中而言，不得不說是一種苦澀和幽默。

國家圖書館出版品預行編目資料

炒三國：歷史，玩的不是心計／二憨著.
－－第一版－－臺北市：宇河文化 出版；
紅螞蟻圖書發行，2012.8
面；公分－－(讀經典；2)
ISBN 978-957-659-909-5（平裝）

1.三國演義 2.研究考訂

857.4523　　101014443

讀經典 2

炒三國：歷史，玩的不是心計

作　　者／二憨
美術構成／Chris' office
責任編輯／韓顯赫
校　　對／楊安妮、朱慧蒨、韓顯赫
發 行 人／賴秀珍
榮譽總監／張錦基
總 編 輯／何南輝
出　　版／宇河文化出版有限公司
發　　行／紅螞蟻圖書有限公司
地　　址／台北市內湖區舊宗路二段121巷28號4F
網　　站／www.e-redant.com
郵撥帳號／1604621-1　紅螞蟻圖書有限公司
電　　話／(02)2795-3656（代表號）
傳　　真／(02)2795-4100
登 記 證／局版北市業字第1446號
法律顧問／許晏賓律師
印 刷 廠／卡樂彩色製版印刷有限公司
出版日期／2012年 8 月　第一版第一刷

定價 270 元　港幣 90 元



ISBN 978-957-659-909-5　　Printed in Taiwan